새콤달콤 말티즈 솜사탕은 녹지 않아

발 행 | 2024-06-27
저 자 | 최영환
펴낸이 | 한건희
펴낸곳 | 주식회사 부크크
출판사등록 | 2014.07.15(제2014-16호)
주 소 | 서울 금천구 가산디지털1로 119, A동 305호
전 화 | 1670 - 8316
이메일 | info@bookk.co.kr
ISBN | 979-11-410-9111-8
www.bookk.co.kr

새콤달콤 말티즈

솜사탕은 녹지 않아

최영환 지음

CONTENT

<어느 날, 손에 들린 솜사탕>

어린 시절, 여동생과 나는 부모님께 강아지를 키우고 싶다고 졸랐다. 엄마는 극구 반대했지만, 무슨 마음이 고새 들어섰는지 우리는 하얀 솜사탕을 만났다. 인생처럼 새콤했던 친구는 바로 말티즈 ’희망‘이었다.

태어난 지 막 40일이 된 솜사탕은 눈처럼 하얀 털, 반짝이는 눈망울과 3개의 까만 콩이 눈길을 끌었다. 그 모습이 엊그제 같은데, 우리가 만난 지도 벌써 20년이 흘렀구나.

중학교 2학년인 15살 때, 화창한 봄 날씨 그리고 토요일. 엄마와 여동생은 어느 가정집에서 솜뭉치를 분양받았다. 우리에게 또 다른 가족이 생겼다. 그 후로 오랫동안 곁을 함께하며, 소중한 추억을 가슴속에 새겼다.

학교 종이 울렸다. 당시 ’놀토‘라는 개념으로 격주마다 쉬는 토요일과 등교하는 토요일로 나뉘었다. 엄마는 동생을 태우고 교문 앞에서 기다리고 있었다. 엄마는 우리도 모르게 1주 전부터 인터넷 포털인 '야후'를 검색해보더니, 왠지 마음이 바뀐 듯했다.

부릉부릉. 그렇게 나는 그곳에서 만난 천사와 모든 것을 함께 했다. 시간이 흘러 대학생, 군대, 대기업 취업 그리고 공무원으로 이직할 시점에 또 다른 솜사탕, 행운이를 만났다. 익숙한 맛이 감도는 새콤한 솜사탕이 12살이 되었을 때, 비로소 다른 맛을 곁들인 달콤한 솜사탕이 우리 집에 찾아왔다. 아무래도 같은 말티즈라 외형과 색깔은 다소 닮았지만, 매력만큼은 그런 풍미가 없었다.

행운이와 함께한 시간은 또 다른 행복을 선사했고, 그런 두 천사와 함께였던 그때가 나에게는 가장 소중했던 나날이었다.

오래 묵은 솜사탕의 추억은 내 성장기를 모두 담아내 풍성했고, 그 아이의 사랑은 말로 다 표현할 수 없을 만큼 컸다.

그러나, 어느 날 불현듯 찾아온 이별의 순간은 감당하기 어려운 슬픔으로 다가왔다. 17살이라는 나이로 솜사탕이 어딘가로 떠난 후, 빈자리의 허전함을 느끼며 그리움에 사무쳤다. 이어 2년 뒤, 두 번째 솜사탕마저 7살이라는 이른 나이에 시야에서 사라졌다. 미처 예상치 못한 연속되는 이별에 또다시 가슴이 아리고, 하늘이 무너질 듯이 아팠다.

검은 머리 짐승이 두 번의 가슴 아픈 이별을 경험하며, 하얀 털을 뒤집은 솜사탕들이 남긴 사랑이 얼마나 큰 의미를 지니는지 깨달았다. 마침내, 1년이 지나서야 해일 속 거대한 파도가 멈추고 잔잔한 물결이 마음속에 울리자, 아가들과의 추억을 남기려 글을 썼다.

진정된 가슴은 또다시 요동치며, 눈에는 눈물이 고였다. '희망이'와 '행운이'는 내 인생에서 빛나는 별과 같았다. 두 솜사탕은 바람이 불어 날아간 걸까? 아니면 구름이 되어 하늘로 올라간 걸까? 그것도 아니라면, 흘러내리는 눈물과 콧물로 녹아버린 걸까?

반려견을 강아지별로 보낸 이들이 공감할 수 있는 따스한 이야기로, 그리움과 감사의 마음을 함께 하고 싶다.

제1화 두 가지 솜사탕

희망이를 처음 만난 날은 아직도 생생하다. 21년 전으로 거슬러 올라가면, 학교 풍경이 눈앞에 먼저 펼쳐진다. 교실 한가운데는 녹색 칠판이 있었고, 분필은 흰색, 빨강, 파랑 세 가지 색이 대비를 이뤘다. 분필지우개는 청소시간마다 벽에 턱턱 가루를 털어내거나, '윙~~~' 큰 소리를 내는 기구를 사용했다. 교실 앞에는 태극기와 교가가 적혀 있었고, 에어컨은커녕 커버를 벗긴 선풍기가 '드르르륵' 좌우로 회전하며 돌아갔다. 교실 앞 왼쪽에는 지금의 LCD 모니터가 아닌 뚱뚱한 브라운관 TV가 황색 캐비넷 안에 묵직하게 놓였다.

한 반에는 무려 40명의 학생이 교실을 메웠고, 13개의 반이 떠들썩했다. 강한 자들만이 살아남는 90년대를 넘어, 2002년 월드컵에 가까웠던 그 시절, 그날은 유난히도 매미가 울기 시작하는 꽤 더운 초여름 날이었다.

토요일의 CA 시간이었다. 당시 대한민국은 주6일제 근무에서 5일제로 막 바뀌던 때라, 중학생들도 격주로 토요일에 등교하곤 했다. 점심시간 이전에 끝나며, 단체활동으로 영화, 축구, 볼링 등으로 과목이 편성됐다. 그날도 어김없이 여름의 더위 속에서 선풍기 바람을 맞으며, 교실에 옹기종기 모여 영화를 봤다. 친구들은 TV 앞에 모여 앉아, "해리 포터와 마법사의 돌"을 보며 즐거워했다.

"와, 해리 진짜 멋있다!"라고 친구 중 하나가 소리쳤다.

"맞아, 나도 해리처럼 마법을 쓰고 싶어. "라고 또 다른 친구가 대답했다.

시계의 바늘은 째깍째깍 정오를 가리켰고, 띠리 리 리 소리는 영화를 마저 더 보고 싶다는 아이들의 아우성과 함께 종례를 알렸다. 나는 운동장을 터벅터벅 지나 교문 밖으로 향했다. 웬일인지 엄마가 차를 길가에 대놓고 여동생과 함께 나를 기다렸다. 무슨 일이냐고 묻지 않고 차에 올라탔으나 동생의 얼굴이 유난히 밝았던 기억이 난다. 그날은 우리가 처음으로 솜사탕을 만나러 가는 날이었다.

지금은 반려견으로써 비숑, 슈나우저, 불도그, 허스키, 포메라니안 등 등 견종이 다양하지만, 그때 친구들 집에는 요크셔테리어나 시츄 그리고 가끔 말티즈와 푸들이 흔했다. 그리고 어느덧, 말티즈는 한국 사람들에게 갑작스레 인기를 끌었고, 랭킹 1위에 올랐다. 우리는 차로 10분 거리에 있는 원룸형 투룸 건물로 향했다. 가는 동인 엄마와 여동생과의 대화가 오갔다.

"엄마, 그 강아지 정말 예뻐! 빨리 보고 싶어"

"사진으로 봤을 때 아주 귀여웠어. 건강해 보였고," 엄마가 답했다.

여동생은 벌써 이름을 정하는데 정신이 없었다. "난 '희망이'가 좋을 것 같아. 희망이란 이름이 예쁘잖아!"

도착하자마자 30대 초반의 여성이 문을 열고 반갑게 맞이했다. 그리고 동시에 '멍멍' 소리가 들렸다. 엄마 강아지는 건강해 보였으며 다섯 살 정도로 기억한다. 새끼 네 마리를 낳았고, 이미 한 마리는 분양되었다고 말씀하셨다. 남은 세 마리 중 두 마리만 분양할 예정이라, 한 마리는 엄마 옆에서 같이 키우겠다고 하셨다.

우리는 내주신 주스를 마시며 새끼들과 엄마 강아지에게서 눈을 떼지 못했다. 남아 한 마리와 여아 두 마리였다. 세 마리 중 두 마리는 소파 밑으로 들어가 나오지 않았고, 유독 남아 한 마리가 우리에게 와서 애교를 부렸지만, 우리 가족은 암컷을 원했다. 나도 남자라 그런지 동물도 공주님이 좋다. 그 와중 소파 밑에 있던 여아 한 마리가 나와 여동생이 마시던 주스 컵 위를 핥기 시작했다. 그 모습이 너무 사랑스러워서, 우리 모두 웃음을 터트렸다.

"얘가 마음에 드니?" 엄마가 조심스럽게 물었다.

여동생은 이미 그 아기에게 마음을 빼앗긴 듯 보였다. "응, 얘가 좋아. 정말 귀여워." 그리고 우리가 조심스럽게 내민 손에 천천히 다가와 냄새를 맡았다. 그 순간, 나는 그 아이와 특별한 연결고리를 느꼈다. 작은 체구에 하얀 털이 복슬복슬한 솜사탕. 눈망울은 호기심과 두려움이 마구 섞여 있었다.

우리는 그 강아지를 분양받기로 했다. 그리고 데려가려고 하자, 어미 강아지가 문 앞까지 따라와 자신의 딸을 하염없이 바라봤다. 두 번이나 애써 보내는 어미의 마음이 오죽할까? 괜히 짠했다.

여동생은 어미 강아지의 슬픈 눈빛을 보더니, 조심스럽게 다가가서 어미에게 말했다.

"괜찮아, 너희 아기 잘 돌볼게. 너무 걱정하지 마. 우리 가족이 아주 많이 사랑해줄 거야."

여동생은 어미 강아지의 머리를 살며시 쓰다듬으며 위로했다. 어미는 슬픈 눈으로 여동생을 바라보며 작게 꼬리를 흔들었다. 한결같이 슬픈 눈빛이었지만, 따뜻한 위로에 조금은 안심한 듯 보였다. 문을 나서면서도 여동생은 계속 뒤를 돌아보며 어미에게 손을 흔들었다. 어미는 그저, 딸이 떠나는 모습을 지켜봤다.

차 안에서 솜사탕이 더운 날씨에 녹지 않을까. 에어컨을 바로 틀었지만, 하도 날씨가 지랄 맞은 탓인지 헥헥거리며 혀를 내밀었다. 그 모습마저도 너무 사랑스러웠지만, 아직은 어미와의 이별을 모르는 듯했다. 강아지를 처음 키워보는 우리 가족은 작은 솜을 데려오는 일임에도 혹시 몰라 꽤 큰 상자 안에 부드러운 방석을 준비했다.

희망이는 몸을 웅크리고 안에 엎드려, 주위를 두리번거렸다. 엄마는 운전대를 잡은 채, 가끔 뒤를 돌아보며 희망이에게 말을 걸었다.

"희망아, 이제 우리 집이 네 집이야. 많이 사랑해줄게.“

희망이는 고개를 갸웃거리며 엄마 목소리에 반응했다. 차창 밖으로는 따사로운 햇살이 내리쬐고, 가로수는 푸르게 물들어 있었다. 가끔 지나가는 바람에 나뭇잎이 살랑거렸고, 어느새 아가는 내 무릎에 앉아 그 풍경을 신기한 듯 바라보았다. 여동생은 천사의 작은 발을 살며시 만지며 미소 지었다. "희망이는 이제 우리 가족이야. 많이 사랑해주고, 잘 돌봐줘야지."

집에 도착하자마자 우리는 새로운 가족을 맞이하는 기쁨에 설렜다. 솜사탕은 작은 몸으로 주변을 두리번두리번 살피더니, 곧 피곤한 듯 조그만 몸을 웅크리고 곤히 잠들었다. 엄마와 여동생, 그리고 나는 그 모습을 조용히 지켜보았다.

“정말 천사 같아. 방석 가져와야지” 여동생이 속삭였다.

엄마는 희망이의 작은 숨소리를 들으며 미소 지었다.

“정말 예쁜 아기네.”

푹신한 방석에서 잠든 사이, 강아지를 처음 키워보는 가족답게 인터넷으로 추가 물품을 이것저것 마구 사들였다. 작은 침대, 부드러운 담요, 여러 가지 장난감, 목욕 제품 그리고 사료까지.

아빠가 퇴근 후에 집에 도착했다. 문을 열자마자 거실에 들어서고 희망이를 보며 환한 미소를 지었다.

"오, 예쁜 천사가 우리 집에 왔구나!" 아빠가 말했다.

"아빠, 이 아이 이름은 희망이에요. 정말 귀엽죠?" 여동생이 말했다. 아빠는 꿈나라에 간 희망이의 작은 머리를 살며시 쓰다듬었다.
"정말 귀엽다. 우리 잘 키워보자."

하지만 첫날 밤, 솜사탕은 밤새 울기 시작했다. "낑낑, 앙앙." 작은 목소리로 엄마를 부르는 듯한 울음소리에 가족 모두가 가슴이 아팠다. 나는 희망이가 마음이 안정되도록 내 방으로 데려와 침대 옆에 마련한 푹신한 쿠션에 조심스럽게 눕혔다.

내 방에서도 울음은 멈추지 않았다. "낑낑." 조그마한 몸이 떨리는 모습에 나는 어쩔 줄 몰랐다. 손을 내밀어 하얀 털을 쓰다듬으며 속삭였다. "희망아, 괜찮아. 여기서 잘 거야."

결국, 나는 뜬눈으로 밤을 지새우며 아가를 지켜보았다. 따뜻한 체온이 느껴지는 부드러운 숨소리와 함께 울음을 멈출 때면 잠깐씩 졸았지만, 다시 울기 시작하면 곧바로 깨어나곤 했다. 그렇게 어찌어찌 첫날 밤이 지나고, 창밖으로 아침 햇살이 들어왔다.

가족 모두가 희망이와 함께 보낸 첫날 밤을 이야기하며 웃음을 지었다. “정말 고생했네,” 엄마가 말했다.

“희망이도 곧 적응할 거야,” 아빠가 덧붙였다.

당시 대한민국은 애완견 문화가 막 자리 잡는 단계였다. 서유럽이나 북미에서 애완견을 키우는 방식과 비교해 보면, 우리는 서툴고 부족했다. 그리고 사람들의 인식도 깊지 않았다.

그 시절, 대한민국은 폭풍 성장하며, 선진국으로 나아가는 단계였지만, 애완견뿐만 아니라 동물에 대한 정보나 인식은 많이 부족했다. 야만의 시절이라고 할까?

여전히 우리나라는 동물보호법이 열악하지만, 당시 학교 앞에는 염색된 병아리와 거북이, 새들이 팔렸고, 사람들은 인형 뽑기 기계 안에 생명체인 햄스터나 가재들을 넣고 오락을 즐기듯이 동전을 넣었다. 그리고 제대로 된 정보 없이 호기심과 재미로 여러 생명체를 기르며, 도중 죽기 일쑤였지만, 지금 생각해보면 참으로 무식했고 무지했다.

마찬가지로 나 또한 여느 또래 아이들답게 병아리, 새, 햄스터도 길렀으며, 잠자리 채와 네모난 플라스틱 통에 메뚜기, 방아깨비, 잠자리, 매미를 잡아놓던 시절이었다. '고추 먹고 맴맴.... 달래 먹고 맴맴....

매미를 찾다가 옆 동네 아주머니가 베란다 방충망에서 "여기 메미 잡았으니까 가져가!"라고 소리치던 일도 있었다. 2000년도 초반은 문을 열어놓고, 이웃들 간의 왕래가 잦았다. 그래서인지 인간 간의 정은 넘쳤다.

이제는 세상이 많이 변했다. 인류애는 사라지고 동물과 생물에 대한 인식이 다소 높아진 대한민국이 되었다. 그만큼 사회적 인식의 변화가 중요하다는 것을 깨닫는다. 어렸을 때 여러 생명을 죽인 나는 그때의 무지함이 부끄럽기도 하고, 가끔은 순수한 시절이 그리워지기도 한다. 지금은 이런 변화 속에서, 나이를 먹어가며 인생의 깊이가 한층 더해가는 것을 느낀다.

아무튼, 그 시절 강아지도 예외는 아니었다. 시골 사람들은 여전히 꽤 두꺼운 쇠줄을 목에 채우고 밖에 키우던 시절이었으며. 우리도 처음 강아지를 키우는 터라, 많이 부족했다.

인터넷 구매 외, 솜사탕이 사용할 물건을 사러 마트에 갔을 때, 철창 같은 구조의 배변 장을 샀다. 아기의 똥오줌이 밑으로 떨어지는 구조였다. 지금 생각해보면 그 귀여운 생명체에게는 참으로 어울리지 않는 물건이었다. 물론, 희망이는 단 한 번도 감옥 같은 철창을 들어가지도 않았다. 물을 혀로 핥아야 나오는 자동 급수기는 창고에 평생 박혀있다.

애기용 사료도 너무 많이 샀다. 처음에는 이빨이 없어서 물에 휘휘 불려 이유식처럼 녹여주었다. 그리고 사 온 장난감들은 이갈이에 적합하지 않았던 것 같다. 그래서인지 하교 후에 우리의 양말을 물어뜯곤 했다.

촐랑거리는 발걸음으로 양말을 물고 뛰어다니는 솜사탕의 모습은 귀엽기 그지없었다. 시간이 지나면서 점점 더 활발해졌다. 특히 이갈이 시기가 오면서, 집안 곳곳을 탐색하며 모서리 벽지 또는 머리에 올라와 머리카락을 물으며 간질였던 기억이 난다.

어느 날 나는 작은 들짐승 같은 솜사탕이 물어뜯던 양말에서 하얀 유치를 발견했다. “엄마, 희망이 이빨 빠졌어!” 내가 외치자, 엄마는 미소 지으며 말했다. “이제 어른이 되어가는 거야.”

유치가 빠지고 나서 성견의 이빨을 거듭났지만, 그 후로도 계속해서 무언가를 물어뜯는 습관은 노견이 될 때까지 남아 있었다. 우리는 아가의 건강을 위해 정기적으로 동물병원에 데려가곤 했다. 특히 심장 사상충 예방주사를 맞히기 위해 자주 방문했다.

집 근처에는 두 군데의 동물병원이 있었다. 한쪽은 남자 수의사가 운영하는 곳이었는데, 병원이 다소 지저분해 보였지만 서울대를 졸업한 명성이 있었다. 반면, 다른 한쪽은 여성 수의사가 운영하는 병원이었는데, 항상 깔끔하고 기구들이 청결하게 관리되고 있었다.

우리나라는 서울대라면 퍽하고 죽는 민족이기 때문에, 우리도 명성에 이끌려 남자 수의사가 있는 병원으로 가곤 했으나, 점차 여성 수의사가 운영하는 병원으로 발걸음의 방향이 바뀌곤 했다.

“여기는 정말 깨끗하고 좋아요,” 엄마가 말했다. “희망이도 더 편안해 하는 것 같아.”

그곳에서는 아가의 건강을 위해 꼼꼼하게 진료를 해주었고, 필요한 예방접종과 치료를 받았다.

하지만 두 번째 병원을 방문할 때는 주사기의 날카로운 바늘을 보자 극도로 예민해졌다. 작은 몸을 온통 부르르 떨며, 수의사에게서 벗어나려 몸부림쳤다. 바늘이 피부에 닿지 않았는데도 크게 낑낑거리며 엄살을 피웠다. 그런 모습을 보고, 수의사는 바르는 약을 여동생 손에 쥐여 주었다. 엄마가 손에 약을 덜어 목 뒤로 조심스럽게 바를 때 몸을 움찔했지만, 곧 따뜻한 손길에 안심한 듯 가만히 몸을 맡겼다.

우리는 마저 이것저것을 또 샀다. 또 다른 작은 침대는 부드럽고 아늑했으며, 장난감도 이갈이에 맞도록 여러 가지 색깔과 모양이 있었다. 하지만 웬걸 솜사탕 취향에 맞지 않았다. 희망이는 우리가 사준 물건보다는 인간이 사용하는 일상적인 물건에 관심을 보였다.

목욕 제품도 다양하게 사들였다. 작은 몸에 맞는 샴푸와 린스를 골랐다. 첫 목욕은 전쟁과도 같았다. 욕조에 미지근한 물을 채운 후, 아가를 살며시 들어 올렸다. 솜사탕답게 물에 녹기 싫은 건지, 앞발을 자꾸 들어 올리고, 몸을 비틀었다. 작은 앞발이 허우적거릴 때마다 물방울이 사방으로 튀었고, 나는 아기가 다치지 않도록 조심스럽게 손으로 받쳐주었다. 그리고 거품이 얼굴에 들어갈까 봐 조마조마한 마음으로 몸에 샴푸를 발랐다. 한 손으로 희망이를 붙잡고 다른 손으로 거품을 씻어내며, "괜찮아, 금방 끝날 거야"라고 다독였다. 얼굴에 거품이 닿지 않도록 조심스럽게 헹궈내고, 부드러운 수건으로 희망이를 감싸 안아주었다. 나는 더러워진 욕실을 바라보며, 생각보다 쉽지 않다고 느꼈다. 하지만, 마지막 관문이 있었다. 지금은 워낙 제품이 잘 나와서 털 말리는 기계들이 많지만, 나는 드라이기로 마저 털을 말렸다.

드라이기의 소리가 청각이 발달한 아이에게는 영 적응하기 쉬워 보이지 않았다. 신중하게 드라이기를 켜고 바람에 쐬었지만, 솜사탕은 소음에 깜짝 놀라 몸을 비틀며 바람을 피하려고 안간힘을 썼다. 앞발로 드라이기를 밀쳐내려 하고 뒤로 물러났다. 드라이기의 바람이 닿을 때마다 귀를 뒤로 젖히고 눈을 꼭 감으며 고개를 돌렸다. 한 손으로 희망이를 달래며, "괜찮아, 금방 끝나"라고 조용히 말했지만, 여전히 드라이기와 최후의 결전은 끝나지 않았다. 마침내 털이 뽀송뽀송하게 마른 후에야 힘겨운 싸움을 끝냈다는 듯한 아리송한 표정으로 나에게 고개를 돌렸다. 다 말린 솜사탕을 품에 안고 "잘했어, 희망아"라고 칭찬하며 부드럽게 쓰다듬었다. 마지막으로 부드러운 빗으로 털도 빗겨주었다.

“희망이 목욕하고 나니까 정말 예쁘다,” 여동생이 말했다.

첫 공원 산책도 잊을 수 없는 순간이었다. 그날 하얀 솜사탕은 처음으로 초록 초록한 풀과 나무를 만났다. 작은 몸집이었지만, 패기 넘치는 눈빛과 움직임은 당차기 그지없었다. 바깥세상이 무섭지 않은지, 처음 보는 풍경 속 냄새들에 호기심을 가득 품은 듯했다.

풀밭에 도착하자 마치 기다렸다는 듯이 신나게 뛰어다니기 시작했다. 때로는 에너지를 주체하지 못해 뛰어다니는지 뒹굴뒹굴 굴러서 이동하는지도 모를 정도였다. 몇 번이고 넘어지면서도 금세 일어나 또다시 달려갔다. 그 모습은 정말 사랑스럽고, 산책하며 보는 사람들까지 미소 짓게 했다.

솜사탕은 분양을 받은 주인의 배려로 어미 강아지를 산책할 때 종종 만나곤 했다. 어미 강아지는 눈에는 그리움과 안도감이 묻어나온 채로 달려왔다. 아가는 어미를 알아보는지 꼬리를 흔들며 다가갔고, 어미는 그런 희망이의 귀를 핥아주었다. 그리고 눈빛이 바뀌었다. 마치 잃어버린 자식을 다시 만난 듯한 기쁨과 안도의 표현이었을까.

학교에서 집으로 돌아오는 길에는 언제나 솜사탕이 나를 환영해줬다. 문을 열면 가장 먼저 달려와 꼬리를 헬리콥터처럼 휙휙 돌리며, 격하게 나를 맞아주던 모습은 하루의 피로를 잊기 충분했다. 그리고 여러 이야기를 들어주는 친구였다. 학교에서 있었던 일, 친구들과 싸웠던 이야기, 기쁜 일과 슬픈 일 모두 털어놓았다. 그러면, 하얀 솜 위 까만 콩 세 개가 나를 위로해 주고 밤낮없이 곁에 있어 줬다.

제법 여유를 찾은 희망이는 일상 속에 자연스럽게 녹아들었다. 고등학생 시절, 칠판에 빼곡히 적힌 수학 공식과 영어 단어들이 나를 기다렸고, 보충수업과 말만 야간자율학습이었던 강제 학습으로 하루하루가 바쁘게 지나갔다. 아침 등굣길에는 달을 보고, 밤늦게 집에 돌아오는 길에도 달을 보며, 대한민국의 교육열이 얼마나 뜨거운지를 실감할 수 있었다. 수능을 보고 대학에 진학하면서 타지 생활이 시작되었다. 주중에는 기숙사에서 생활하고 주말에만 집에 내려갈 수 있었다. 대학 캠퍼스는 자연과 어우러진 건물들과 함께 봄에는 벚꽃이 만발하고, 가을에는 단풍이 짙게 물드는 아름다움을 자랑했다. 캠퍼스 중심에는 커다란 연못이 있었고, 그 주변으로는 푸른 잔디밭과 오랜 역사를 자랑하는 벽돌로 준공한 중앙 도서관 건물이 있었다.

대학 생활의 첫해는 자유를 만끽하는 시간이었다. 신입생이자 새내기인 나는 친구들과 술을 마시고, 노래방에 가고, 처음으로 여자친구를 사귀며 설렘 가득한 날들을 보냈다. 중간고사가 막 끝나고 한 저녁, 우리는 호프집을 찾았다.

“언제까지 어깨춤을 추게 할 거야!” 친구 한 명이 "베스킨라빈스 써리원!"을 외치며 어깨를 들썩였다.

“1,2,3.... 31” , “마셔라, 마셔라~” 모두가 웃으며 외쳤다. 게임이 진행될 수록 어깨춤은 점점 더 격렬해졌다.

“바니바니 바니바니~” 또 다른 친구가 "바니바니" 게임을 시작했다. 게임의 열기는 점점 더 뜨거워졌고, 우리는 끝없이 이어지는 웃음 속에 취해갔다.

술 게임이 끝난 뒤 노래방으로 자리를 옮겼다. 한 친구가 "소녀시대의 'Gee'"를 선곡하며 열정적으로 춤을 추기 시작했다.

“Gee, Gee, Gee, Gee, Baby, Baby, Baby~” 친구들은 노래를 부르며 춤추는 친구를 따라 흥을 돋우었다. 마치 작은 콘서트장처럼 뜨거운 열기로 가득 찼다. 그때, 나는 옆에 앉아있는 그녀에게 용기 내어 말을 걸었다.

“나, 너한테 할 말이 있어.” 목소리가 떨렸지만, 그녀는 나를 향해 미소를 지었다.

“무슨 말인데?” 그녀의 눈빛이 반짝거렸다.

“사실, 너를 좋아해. 우리 사귈래?” 심장이 터질 것만 같았다. 그녀는 잠시 망설였지만, 곧 밝은 미소로 대답했다.

“나도 너 좋아해. 우리 사귀자!” 그녀의 대답에 가슴이 벅차올랐다. 우리는 그렇게 서로의 마음을 확인했고, 설렘 가득한 첫 연애가 시작되었다.

그날 밤, 노래방에서의 열기와 친구들의 응원 속 새로운 사랑이 찾아왔고, 친구들과 소중한 추억도 어우러졌다. 그리고 주말마다 집에 돌아올 때마다 희망이는 여전히 나를 기다렸다. "희망아, 오랜만이야!" 기쁜 마음으로 “희망 대장군!”이라고 부르면서, 안아주었다. 하지만 점점 솜사탕과 함께하는 시간이 줄어들어 가슴 한편이 씁쓸해졌다.

어느덧 2학년이 되기 전, 나는 여느 신체 건강한 남자들처럼 육군에 입대했다.

"충성!" 훈련소 생활이 시작되면서 우리는 매일 아침 복무 신조를 외쳤다.

"우리는 국가와 국민에 충성을 다하는 대한민국 육군이다. 하나. 우리는 자유민주주의를 수호하며 조국 통일의 역군이 된다. 둘. 우리는 실전과 같은 훈련으로 지상전의 승리자가 된다. 셋. 우리는 법규를 준수하고 상관의 명령에 복종한다. 넷. 우리는 명예와 신의를 지키며 전우애로 굳게 단결한다."

아침 일찍부터 저녁 늦게까지 훈련이 이어졌다. 모든 생활이 규칙적이고, 매일 반복되는 일상이었다. 하루는 훈련이 끝나고 휴식을 취하던 중, 부모님에게서 편지가 도착했다. 봉투를 열어보니, 그 안에는 솜사탕의 사진이 담겨 있었다. 사진 속 아가는 한결같이 사랑스러운 표정으로 나를 바라보고 있었다.

“너희 강아지야?” 옆에서 함께 편지를 보던 전우가 물었다.

“응, 우리 집에서 키우는 강아지야. 희망이라고 해.” 나는 사진을 보여주며 말했다.

“엄청 귀엽네. 나도 집에 고양이 있는데 보고 싶다.” 전우도 자신의 반려동물 이야기를 꺼내며 그리움을 표현했다.

그날 밤, 잠자리에 들기 전 나는 솜사탕 사진을 다시 꺼내보았다. 그리고 함께 보낸 시간이 떠올랐다. 산책가고, 같이 놀고, 아가의 장난스러운 모습까지 모두 그리웠다.

부모님은 편지에서 하얀 천사가 잘 지내고 있다고 안부를 전해주셨다. 아가도 나를 그리워하는지, 내가 쓰던 방에 자주 들어가서 나를 기다리는 것 같다고 했다.

“희망아, 나도 네가 너무 보고 싶다. 빨리 휴가 나가서 너랑 다시 산책하고 싶어.” 나는 속으로 말을 걸며 잠이 들었다.

드디어 훈련소에서의 수료를 마치고, 자대로 배치받자, 이등병 시절은 일주일에 한 번 집으로 전화할 수 있었다. 수화기 너머로 들려오는 "멍멍!" 짖는 소리는 집의 따스함을 다시금 느끼게 해주었다. 이번에는 "끼잉 끼잉!"하며 나를 찾는 목소리는, 그리운 집을 떠올리게 했다. 상병이 되면서 전화가 자유로워졌고, 그 덕분에 희망이와도 자주 목소리를 나눌 수 있었다. 휴가를 나와 집에 돌아올 때마다 솜사탕의 반응은 변함없었다. "희망아, 오빠 왔다! 잘 지냈어? 우리 대장군!" 안고 있는 순간만큼은 군 생활의 고단함을 잠시나마 잊게 해주었다.

초록색 전투복이 무겁게 느껴졌고, 생활관의 바닥은 부모님 집과는 달리 한없이 차가웠다. 그러나 시간은 어찌 됐든 지나간다. 어느덧, 이제는 나를 바라보는 후임들의 눈빛에서 기대와 존경을 읽을 수 있었다.

기다리고 고대하던 그날이 왔다. 점심 후의 휴식 시간에 나는 여러 후임과 PX 앞 덩굴나무가 둘러싼 벤치에 둘러앉아 대화를 나눴다. 훈련병에서 막 이등병이 되어 자대에 도착한 신병들은 앞으로 군생활에 궁금증을 쏟아내며 내 경험담을 들려달라고 했다. "최 병장님, 아니 이제 형! 처음 자대 들어왔을 때 어떠셨나요?" 작대기 하나가 물었다.

"처음에는 모든 게 무서웠지. 하지만 시간이 지나면서 익숙해지더라. 지금 너희가 겪고 있는 어려움도 다 지나갈 거야."

 전역신고를 마친 후 중대장의 격려와 박수를 받으며 막사에서 위병소로 향하는 길, 후임들이 일렬로 서서 나를 바라보고 있었다. 그들의 눈에는 아쉬움과 추억이 담겨 있었다. 걸음을 옮길 때마다 후임들의 목소리가 울려 퍼졌다.

 "충성!" 가장 친했던 후임이 경례를 하며 소리쳤다.

 "고생하셨습니다. 사회에서 얼른 여자친구 만나고 파이팅!" 나랑 별 차이가 안 나는 후임이 큰소리로 외쳤다.

"사랑한다. 전우여 고마웠다. 전우여!!" 한 후임이 장난반 진담 반을 내뱉었다. 마지막으로 목소리가 하나로 모여 "충성"이라는 목소리가 나를 에워쌌고, 나는 그들에게 고개를 숙이며 미소 지었다.

 위병소를 지나가면서, 얼굴에는 함박웃음이 겉돌았지만, 마음 한편에는 쓸쓸함도 있었다. 기대했던 자유와 해방감이 막상 기쁘지만은 않았다. 이 안에서 바라본 풍경은 내가 2년간 익숙해진 곳이었다.

복학에 이어 4학년 취업반 그리고 대기업에 취직하게 되면서, 희망이와의 만남은 다시 한 달에 한두 번으로 줄어들었다. 원서를 넣고 합격 통지를 받았을 때의 기쁨은 컸지만, 서울에서의 바쁜 일상 속에서도 부모님 집에 가는 날은 희망이와 만날 수 있다는 기대감에 들떴다. "희망아, 나 왔어!" 문을 열고 들어가면 거실을 이리서리 뛰어디니며, 다리가 보이지 않았다.

희망이를 두고 서울로 돌아가는 길은 매번 아쉬웠다.새벽 5시 반이면 숙소에서 울리던 알람 소리. "딩딩딩딩~" 삼성 핸드폰 특유의 기상나팔이 가득 울려 퍼졌다.

"또 시작이군. 아침체조 하러 가자..." (피곤한 눈을 비비며)

대기업 시공사의 현장은 군대의 상위 버전이었다. 나는 토목공학을 전공했고, 운 좋게도 서울의 한 대형 건설 현장을 맡을 수 있었다. 그렇다고, 편한 것은 아니었다. 오히려 도시 한가운데서 대규모 공사를 진행하다 보니 많은 분진, 소음 민원과 스트레스에 시달렸다. 그리고 온종일 고된 회의와 함께, 안전 문제, 일정 관리, 그리고 예기치 않은

비상 문제들을 해결해야 했다. 공사장의 거대한 크레인들이 바쁘게 움직였고, 철근과 콘크리트 그리고 아스콘이 쉴 새 없이 운반되었다. 거대한 장비들과 굉음, 먼지 속에서 하루하루가 지나갔다.

아침체조는 6시에 출근하시는 일용직 및 모든 근로자가 대상이었다. 안전 근로법 기준 하, 하루의 시작을 알리며 안전사고를 대비해 몸을 푸는 행위다. 모든 직원이 모여 함께 스트레칭을 하고, 간단한 체조를 하며 하루를 준비했다. "으쌰, 으쌰!" 직원들의 구호 소리가 새벽 공기를 가르고, 우리는 땀을 흘리며 몸을 풀었다. 체조가 끝나고 나면 아침 식사 후 곧바로 업무에 돌입했다. 회의를 통해 그날의 작업 계획을 점검하고, 각 팀에 할당된 업무를 확인했다. 나는 주로 현장을 돌며 작업의 진행 상황을 점검하고, 문제 발생 시 신속히 해결책을 찾기 위해 뛰어다녔다.

어떤 날은 설계도를 들고 철근 반장님과 시공 방법을 논의하기도 했다. 매일같이 반복되는 일상 속에서, 문득문득 나의 가치관과 이곳의 생활이 맞지 않는다는 생각이 들기 시작했다. "나의 시간이 전혀 없잖아. 이게 정말 사람이 사는 건가?"

대기업의 연봉은 정말 높았고 동료들이랑도 잘 지냈지만, 결국 나는 2년간 다니던 건설사와 작별 인사를 고했다. 그리고 집으로 돌아가 토목직 공무원 시험을 준비했다. 그때 공무원의 인기는 하늘을 찔렀다. 9시 뉴스에서는 거의 매일 "노량진"과 "컵밥"이라는 단어가 등장했다. 이곳은 공무원 시험 준비생들의 성지로 불리며, 청년들이 모여들었다. 학원가와 고시원, 그리고 저렴한 음식을 제공하는 가게들이 늘어선 그곳은 밤낮없이 활기를 띠었다. 뉴스에서는 공무원 시험의 경쟁률이 100대 1을 넘기기 일쑤라는 소식이 연일 보도되었다. 한 설문조사에 따르면, 대기업보다 공무원이 되려는 청년들이 많아졌다고 한다. 서울대학교를 졸업한 인재들조차도 공무원 시험에 도전하겠다는 인터뷰도 화젯거리가 됐다. 학벌과는 상관없이 안정성과 워라밸을 중시하는 트렌드가 반영된 현상인지는 몰라도 저녁이 되면 노량진은 더욱 활기를 띠었다. 늦은 시간까지 불이 꺼지지 않는 학원과 공부방은 한편으로는 안타까움을, 다른 한편으로는 열정을 자아냈다. 그들의 모습은, 당시 사회적 열풍을 잘 보여주었다.

한편, 나는 집으로 오니 솜사탕과 많은 시간을 보낼 수 있었다. 희망이는 자정이 되어 가족이 모두 잠들 때면, 각자의 방으로 순찰 다니며 인사를 하고, 날이 밝아오면 우리보다 먼저 일어나 작은 발로 내 이불을 긁으며 깨우곤 했다. 졸린 눈을 비비며 일어나면 희망이는 꼬리를 흔들며 반갑게 나를 맞아주며. 코에 뽀뽀했다.

아침 공기를 마시며 함께 동네를 산책하면, 공부할 때도 활력을 주었다. 솜사탕은 매번 나가는 산책길임에도 주변을 둘러보며, 열심히 냄새맡고, 마킹도 하며 작은 발걸음으로 총총총 따라왔다. 산책 시간은 우리 둘만의 소중한 시간이었고, 서로의 존재를 느끼며 하루를 시작했다.

희망이는 일상 속에서 그림자처럼 따라 다녔다. 오전과 오후는 공무원 시험공부를 하고, 저녁이 되면 함께 과자를 까먹으며 TV를 봤다. 그럴때면, 내 무릎 위에 앉아 가만히 올라왔고, 나는 따뜻한 체온과 부드러운 털을 느끼며 편안함을 느꼈다.

내 인생에서 늘 소중하고, 일상을 채워주는 특별한 존재였다. 나의 삶을 더 풍요롭게 만들었지만, 당시엔 익숙함에 속아 그 시간을 항상 감사하게 생각지 못했다. 이 모든 시간의 흐름 속에서, 그저 가족의 일원이 아닌 삶의 일부였다. 아침 일찍 학교에 가서 밤 11시가 되어 집에 돌아올 때의 고단함도, 대학에서 타지 생활의 설렘 속에서도, 군 생활의 고달픔도, 공무원 직장의 스트레스도 우리는 함께했다.

(40일 된 달콤한 솜사탕)

1-1 주세요

맑고 투명한 하늘 아래 쌀쌀한 바람이 불어오는 가을, 대기업에서 공무원으로 이직하기 위해 독서실을 다니며 공부에 매진하고 있었다. 그때 나는 27살, 솜사탕은 12살이었다.

그리고 우리는 새로운 가족을 맞이할 준비에 괜스레 마음이 싱숭생숭했다. 또 다른 솜사탕과의 첫 만남도 잊을 수 없다. 그 작은 말티즈는 단추같이 작은 눈에 순하고 선한 눈빛을 보냈다. 희망이와는 다른 에너지를 뿜어내는 행운이를 보며, 나는 또 한 번의 특별한 인연이 다가오고 있음을 느꼈다.

어머니는 희망이가 점점 나이가 들면서 예전만큼 활발하지 않자, "희망이 혼자 너무 적적해 보이지 않니?"라고 말씀하셨다. 나는 어머니의 말에 공감하며, "그렇긴 해요. 희망이에게도 친구가 있으면 좋을 것 같아요."라고 답했다.

또한, 나름 의젓한 새콤한 솜사탕에 생기발랄한 달콤한 솜사탕을 얹히고 싶은 욕심도 있었다. 아버지는 "희망이도 처음엔 얼마나 활발했는데, 이제는 나이가 들어서 그런지 차분해졌잖아. 행운이 같은 아기가 오면 집안 분위기도 좀 더 활기차질 거야."라고 말씀하셨다. 새로운 가족을 맞기로 가족 모두가 동의했다.

여동생: "둘째는 이름은 뭐로 지을까? 희망이처럼 의미 있는 이름이면 좋겠는데....“

엄마: "그래, 의미 있는 이름이면 좋지. 희망이는 우리 가족에게 항상 희망을 가져다줬으니까. 새로운 강아지도 그런 이름이었으면 좋겠어.“

아빠: "그래, 모두에게 기쁨과 행복을 주는 이름이 좋겠지. 내가 생각

하기엔 '행운'이라는 이름이 어떨까? 행운이 우리 집에 찾아온 것처럼 말이야."

여동생: "행운이라.... 좋아! 행운이라는 이름에는 좋은 일이 가득할 것 같아."

엄마: "희망이와 행운이, 이름만 들어도 기분이 좋아지네."

여동생: "그럼 결정! 이제부터는 행운이야. 근데, 나는 우니라고 불러도 되지?"

아빠: "그럼, 우니도 귀엽고 부르기 쉽잖아. 가족끼리 부를 때는 '우니'라고 부르면 되겠어."

엄마: "그래, 우니."

여동생: "좋아, 우니야. 우리 함께 행복하게 지내자!"

이렇게 해서 새로운 강아지의 이름은 행운이로 결정되었고, 가족 모두가 줄여서 '우니'라고 부르곤 했다. 마음 아프게도 당시 한국은 강아지 공장에 대한 인식이 널리 알려지지 않았다. 그리고 나이 차이가 나면, 희망이에게도 꼭 좋지만은 않다는 것을 늦게 깨달았다.
행운이는 가정분양이 아닌 애견센터에서 데려온 강아지였다. 당시 애견분양 문화는 지금보다 훨씬 열악했고, 많은 강아지가 비위생적이고 비인도적인 환경에서 태어났다.

가게 유리로 아가를 확인한 뒤, 애견센터에 들어섰을 때 좁은 투명벽 안에서 지내고 있는 모습이 눈에 들어왔다. 그중에서도 눈에 띄었던 솜사탕은 바로 '우니'였다. 좁은 공간에서도 활기차게 꼬리를 흔들며 우리의 시선을 끌었다. 애견센터의 분양 담당자는 행운이를 내게 보여주면서, 건강 상태를 간략하게 설명해 주었다. 밝은 눈망울을 보면서, 이 작은 생명체와 함께할 날들을 상상했다. 품에 안고 집으로 향하는 길, 기쁨과 함께 책임감도 은근히 무겁게 느껴졌다.

집에 도착했을 때, 희망이는 낯선 냄새와 생명체에 예민하게 반응했다. 행운이를 조심스럽게 바닥에 내려놓자, 희망이는 경계심 가득한 눈빛으로 행운이를 지켜봤다. 행운이는 그런 희망이의 반응에도 아랑곳하지 않고, 천진난만하게 집안을 싸돌아다니기 시작했다.

그런 모습을 주시하던 새콤한 솜사탕이 마치 어미가 된 듯한 행동을 보였다. 홀연히 달콤한 솜사탕이 작은 소리로 울면 어김없이 달려와 그 주위를 맴돌았다. 그리고 자신보다 더 작은 몸을 보호하려는 듯이 곁을 떠나지 않았다.

“으응, 으응.” 하고 작은 소리로 울면 밥을 먹다가도 곧바로 다가와서 코를 킁킁대며 냄새를 맡고, 그 곁에 몸을 붙였다. 새끼인 줄 알고 자꾸 다가가서 보호하고 지키려는 암컷의 본능이 발동한 것 같았다. 그리고 품에 안으며, 새콤달콤 솜사탕이 완성됐다.

“행운아, 희망이가 너를 얼마나 아끼는지 알아?” 엄마는 둘의 행동을 보며 흐뭇하게 웃었다. 그리고 새콤달콤 솜사탕의 첫 만남은 핸드폰 동영상으로 고이 간직하고 있다.

나는 두 아가를 조심스럽게 안아주었다. 우니는 처음 보는 집안 환경에 어리둥절했지만, 곧 품에 안겨 편안해졌다. 그의 따뜻한 체온과 부드러운 털은 희망이 아기 때를 다시 만난 듯한 기분을 느끼게 해주었다. 우니는 잠시 주위를 두리번두리번 둘러보더니, 금세 편안하게 잠들었다. 그렇게 첫날밤이 지나고, 둘은 조금씩 서로에게 익숙해졌다. 하지만 시간이 지날수록, 노견으로 접어드는 첫째에게 새로운 천사를 데려오는 일은 생각보다 바람직하지 않았다.

희망이는 우니가 조금씩 성장하자 스트레스를 받았다. 이를 갈기 시작하고, 자기주장이 확실한 개춘기에 들어서자, 점점 더 자신의 공간을 지키려 했고, 젊은 패기와 활발한 행동에 때로는 피곤해 보였다.

어머니는 "희망이가 예전처럼 잘 놀지 않아. 우리가 오히려 스트레스를 준 건 아닐까?"라고 걱정하셨고, 나도 그 말에 일부 동의하며 고개를 끄덕였다.

아가들 끼까를 사러 가는 도중, 애견센터에 들렀다. 사람들이 오지 않는 시간대라 주인장이 방심했던 것 같다. 애견센터 뒤쪽으로 큰 천막이 걷히자 정말 충격적이었다. 20마리가 넘는 강아지들이 비좁은 철장 속에서 꼼짝도 하지 못한 채, 새끼를 낳는 장면이 눈에 들어왔다.

나는 비도덕적인 애견센터 주인장과 대화를 나누었다.

주인장은 "먹고 살려면 우리도 어쩔 수 없어요"라고 말하며 현실의 어려움을 토로했지만, 나는 그 말에 분노가 일어났다. 사람뿐만 아니라 동물까지 상대적 약자를 이용해, 돈을 착취하는 인간들의 행태는 정말 참기 힘들었다. 이 사람들에게 강아지는 단지 돈벌이 수단이었다. 애견센터 주인장의 태도는 나에게 인간 본성에 대한 깊은 회의를 안겨주었다. 강아지를 낳기 위해 평생을 철창에 갇혀 사는 어미 강아지들을 보면서, 그들이 느낄 절망과 고통을 생각하지 않을 수 없었다. '이게 정말 먹고 살기 위해 어쩔 수 없는 일일까?' 인간관계에 큰 변화가 오는 30살 이후, 검은 머리 짐승들이 더 싫어졌다. 그저 사람들과 독립되어서 홀로 지내는 것도 나쁘지 않고 행복했다. 아직도 대한민국은 동물을 학대하고, 어린 생명을 쓰레기봉투에 담아 버리는 행위가 종종 발생한다. 그리고 법적 제재인 처벌 수위도 약하다. 어떻게 하면, 약자를 괴롭히며 자신의 존재를 확인하고, 목적을 달성하려는 심리가 있을까? 정말 비겁하지 않은가.

그곳에서 우니를 데려왔지만, 남아 있는 새끼강아지들과 어미들을 잊을 수 없었다. 행운이와 같이 진열되었던 아기 중 일부는 팔리지 않자, 컴컴한 어둠 속으로 넘어가 철장에 갇혀 아이만 낳고 있는 현실이 참으로 안타까웠다. 심지어 아기가 그리로 이동하니, 엄마들 나이도 엄청 어렸다. 그런 환경에서는 산모도 아이도 건강할 수가 없었다. 하물며, 그런 유전을 받은 행운이의 건강도 같이 걱정됐다. 그런 환경에서 태어난 새끼들이 건강하다면, 얼마나 건강하겠는가?

나는 약자를 이용해 이익을 챙기는 사람들은 인간으로 보지 않는다. 이런 감정은 나이를 먹어가면서 더욱 깊어졌다. 사회생활을 하면서 인간 본성의 어두운 면을 자주 보았고, 인간관계가 얼마나 쓸데가 없는지 몇 번이나 깨달았다. 반면, 희망이와 행운이를 키워보면서, 동물은 배신하지 않는다는 점을 배웠다. 순진무구함과 충성심으로 똘똘 뭉친 두 솜사탕이 누구보다 소중했다.

(언니 방석을 뺏은 달콤한 솜사탕)

1-2 새콤해

희망이는 의젓하고 늠름한 첫째였다. 그리고 가부장적인 우리 집에서 아빠를 가장 잘 따랐고, 어찌나 서열을 잘 아는지, 퇴근 후 들어오면 꼬리를 흔들며 누구보다 빨리 달려가곤 했다.

아빠 바라기인 새콤한 솜사탕은 눈이 대체로 컸고, 눈빛은 똘망똘망 말을 걸어오는 것 같았다. 흰 털은 반곱슬이라 쓰다듬을 때면 종종 엉킨 곳이 손끝에 탁 걸렸다. 핑크빛 배는 연약한 꽃잎처럼 부드러웠고, 꼬리는 언제나 활발하게 움직였다. 그리고 말티즈 고유의 약한 슬개골과는 다르게 매우 튼튼했고 건강했다. 까만 콩 세 알도 언제나 반짝였고, 한번 만지면 멈출 수 없는 젤리 발바닥은 합법적인 마약과 같았다. 가끔은 자기 발을 빨아서 빨개진 털을 제외하면, 대체로 깔끔했다.

안고 있을 때면 '꼬순내'가 느껴져 더욱 사랑스러웠나. 나리는 생각보다 숏다리였지만, 그 모습이 오히려 귀여웠다. 사실 그녀는 공주님 느낌보다는 늠름한 장군 같은 기운을 풍겼다.

만화 라이온킹에서 절벽 위 아기 사자를 들고 있는 아빠 사자처럼, 희망이를 두 손으로 감싸고 하늘을 향해 올릴 때면, 벅찬 감정이 밀려왔다. 그만큼 튼튼했고, 강아지들이 다 건강한 줄 알았다.

뛰어난 면역력으로 무려 17년 동안 큰 병 없이 건강하게 지냈다. 그리고 소형견은 고관절이나 슬개골 문제로 산책 시간은 30분 정도가 적당하다고 하지만, 희망이는 한 시간을 넘기기 일쑤였다. 대장군에게 30분은 너무 짧은 시간이었다.

아스팔트 주차장 위를 달리다가 놀이터 모래밭을 지나고 둘레길을 돌아 공원으로 가는 루트는 우리에게 익숙한 코스였다.

산책 스타일은 고집이 없었고, 어디든 내가 가는 곳을 따라왔다. 그리고 산책 중에 이리저리 냄새를 맡는 것을 좋아했다. 아파트 주차장에 놓인 차들 사이를 지나가며, 한 대 한 대 꼼꼼히 냄새를 맡고 지나갔다. 놀이터에 다다르면 모래 위에 코를 바짝 대고 여기저기 새로운 냄새를 즐겼다. 둘레길을 도는 동안, 초록으로 물든 풀밭과 나무들, 그리고 다른 강아지들이 지나간 흔적들을 탐지하며 계속해서 코가 바빴다. 꼬리는 끊임없이 흔들며, 작은 몸은 한시도 가만히 있지 않고 행복함을 표현했다. 늘 활기차게 뛰어다니며 자신만의 방식으로 세상을 읽어내려갔다.

정기검진을 받을 때면, "이렇게 건강한 녀석은 처음 봅니다. 아주 뛰어난 유전자를 가졌나 봐요. 가정분양의 힘인가요? , "이 나이에 이렇게 건강한 말티즈는 드물어요. 정말 놀라워요.""라고 수의사는 감탄하곤 했다.

그 말을 들을 때마다 나는 속으로 생각했다. '희망이가 정말로 특별한 강아지였구나. 좋은 유전자와 가정분양 덕분일까? 아니면 우리가 희망이를 얼마나 사랑하고 아끼는지 느꼈기 때문일까?'

희망이는 수의사의 칭찬을 들을 때마다 그 반짝이는 눈으로 우리를 바라보았다. 하지만, 이런 겉모습 뒤에는 말티즈 특유의 앙칼짐도 있었다. 유튜브에서 흔히 '악마견'이라고 불리는 성격을 고스란히 뿜어냈다. 당돌한 성격, 자신이 귀찮거나 마음에 들지 않을 때면 작지만 강한 울음소리로 "으르르르르르!" 의견을 피력했다. 오노바이 시동 소리와 아울러 한 성깔 하는 솜사탕은 참으로 새콤했다.

'말티즈는 참지 않긔'

그 작은 입에서 나오는 '으르르르' 소리는 위협적이기보다는 치명적인 매력으로 다가왔기에 때로는 그 모습이 너무 재밌어서 일부러 성질을 돋우기도 했다. 심하면 스키 장갑을 끼고서야 만질 수 있을 정도로 사나웠다. 자아도 강해서, 자신의 요구를 거리낌 없이 표현했다.

배변 습관도 독특했다. 기분이 나쁘면 일부러 성질을 부리며 패드 외 이불이나 카펫 위 똥오줌을 내질렀다. 가족이 모두 나가거나 아빠가 없는 날에 유난스레 건방을 떨었다. 이런 날이면, 신발장 있는 현관문 앞에서 아빠를 꼬박꼬박 기다렸다.

악마견과 장난을 칠 때는 유별한 방식이 있었다. '코코코코코코 입!' 또는 '쌀보리 쌀쌀 보리보리' 게임을 하면, 으르렁하다가 기어이 참지 못하고 '훅' 입질을 했다.
그리고 부드러운 털을 쓰다듬으며, 머리털에 살짝 바람을 불어넣었다. "후ㅡ" 바람이 희망이의 털을 살짝 흔들었다.

"멍?" 희망이는 고개를 갸웃거리며 나를 쳐다봤다.

나는 아무 일도 없다는 듯 고개를 돌렸고, 솜사탕은 잠시 나를 쳐다보다가 다시 내 무릎에 고개를 내렸다. 다시 한번, "후ㅡ" 하고 바람을 불었다. 이번에도 고개를 돌려 나를 올려다봤지만, 나는 또다시 모른척했다. 솜사탕은 의아한 눈빛으로 나를 바라보다가 이번에는 고개를 돌리지 않았다. 나는 기다렸다는 듯 다시 바람을 불었다. "후ㅡ" 이번에는 "멍멍!" 하며 내 무릎에서 후다닥 뛰어내렸다. 나는 웃음을 참지 못하고 소리 내어 웃었다. 그리고 솜사탕은 잠시 멈춰 서서 나를 쳐다보았다. 마치, '왜 그래? 그만해!'라고 말하는 것 같은 귀여운 반응에 심장이 녹아내렸다.

"일있어, 알았어. 이제 안 할게. 이리와~"

"다다닥!" "다다닥!" 거실을 한 바퀴 돌고는 안방으로 들어갔다. "이리와"라고 부르면 고양이 마냥 절대 오지 않는 시크한 똥고집을 부렸다. 처진 귀만 살짝 움직이며 나를 흘끗 본 후, 시큰둥하게 외면했다. 보통 자기 할 일을 찾아서 냉장고 쪽으로 가거나, 방석에 앉아 창가로 바깥 구경을 하곤 했다.

여동생도 "이리 와"라고 말했지만, 역시나 희망이는 눈도 깜빡하지 않았다. 반대로 아빠가 "희망아, 이리 와"라고 말하면, 즉시 달려갔다. 서열 1위에게는 한없이 약했다.

심지어, 사춘기를 겪고 난 후에는 더욱 말을 안 듣곤 했다. 이제는 주인이 직접 찾아다니며, 부드러운 흰털과 부드러운 발바닥 젤리를 만져야 했고 가끔은 내 발소리가 들리면, 손이 안 닿는 소파 밑이나 탁자 밑으로 '후다닥' 피신했다.

장난감을 사줘도 잘 놀지 않고, 주로 사람과 상호작용을 즐겼다. 심심하면 가족의 배 위에 자리를 잡고 누웠다. 그리고 자신을 사람으로 알고 있는 듯한 행동도 많이 보였다.

거울을 봐도 별다른 반응을 보이지 않는 희망이의 모습은 정말 사람인가 싶을 정도였다. 보통 강아지들이 거울 속 자신을 보고 짖거나 호기심을 보이는 것과 달리, 솜사탕은 거울 속의 자신을 알아보지 못하는지 무시했다. 워낙 독립성이 뛰어난 솜사탕이지만, 잠자리는 가족의 다리 사이나 몸 옆에 딱 붙어서 자는 것을 좋아했다. 잠꼬대하며 '드르렁' 코 고는 소리를 내는 솜사탕을 보고 있으면, 분명 달콤한 꿈을 꾸고 있음을 알 수 있었다.

새로운 물건이나 낯선 사람에게도 늘 경계심을 늦추지 않았다. 가족이 새로운 물건을 집에 들여놓으면, 가장 먼저 그 물건에 다가갔다. 비닐봉지를 열자마자 코를 박고 킁킁거리며 철저히 검사했다. 때로는 코를 박은 채, 몇 분 동안 꼼짝하지 않았다. 뒤이어 바스락 소리와 함께 물건을 꺼내자, 꼼꼼히 확인했다. 그런 후에야 안심이 됐는지 뒤로 물러서곤 했다.

쪼그마한 게 집안의 경비견 역할을 자처하기도 했다. 낯선 사람이 집에 방문했을 때도 마찬가지였다. 문이 열리고 처음 보는 사람이 들어오면, 경계를 늦추지 않았다. 격한 '월월월' 소리와 방문객 발밑에 바짝 다가가 냄새를 맡으며 주위를 맴돌았다. 차츰 경계심이 풀려야 가족의 일원처럼 그의 무릎 위로도 올라갔다.

'식탐의 여왕'이었다. 사료는 먹지 않고 식사 시간이 되면, 어디선가 나타나 사람들이 먹는 것을 얻어먹으려 했다. 나는 짜고 매운 한국식 음식이 강아지 건강에 좋지 않아 주지 않았지만, 아빠는 종종 사람 음식을 나눠주곤 했다. 그 결과, 주기적으로 이빨을 닦지 않으면 치석이 쌓였다. 그런 모습에 엄마와 나는 종종 걱정스러운 대화를 나눴다.

"사료를 며칠째 안 먹어. 노란 토까지 나왔잖아. 아빠가 자꾸 사람 먹는 음식을 줘서 그런 거라고." 엄마가 희망이를 보며 한숨을 내쉬었다.

허기진 배에서 꼬르륵 소리가 울렸지만, 사료 대신 물그릇에 입을 댔다. 물을 할짝할짝 마시면서도 사료에는 전혀 관심을 두지 않는 모습이었다.

"희망아, 진짜 이러다가 건강 안 좋아져," 나는 꼬리를 쓰다듬으며 말했다.

하지만 쥐도 새도 모르는 밤이 찾아오자 상황이 조금 달라졌다. 집 안팎으로 조용하고 모두가 잠든 시각, 부엌에서 아그작 아그작 소리가 들렸다. 나는 조심스레 발뒤꿈치를 들고 부엌으로 가봤다. 그곳에서 몰래 사료를 먹고 있었다. 그 모습이 어찌나 귀엽고 안쓰럽던지, 그동안의 걱정이 조금은 덜어지는 듯했다. 참 고집스러운 성격이지만, 그 모습조차 사랑스러웠다.

유난히 사과를 좋아했다. 사과를 꺼내면 큰 눈이 반짝이며 꼬리를 살랑살랑 흔들며 곁으로 다가왔다. 통째로 주면 입을 대지 않았고 동그란 눈을 더욱 크게 뜨며, "잘라주세요"라는 눈빛을 보냈다. 작은 조각으로 잘라주면, 그제야 사각사각 씹는 소리가 집 안에 퍼져다. 이따금 야심한 밤에 몰래 야식을 꺼내려 하면 금세 냄새를 맡고 귀신같이 알고 달려왔다. 주로 소시지 빵과 삶은 달걀을 먹곤 했는데, 그 작은 코는 어떤 향도 놓치지 않았다. 방문을 박박 긁었다. 나는 결국 문을 열어줄 수밖에 없었고 희망이는 꼬리를 흔들며 방으로 들어와 먹고 있는 음식을 바라봤다. 그러다 한 입 주면 행복하게 '냠냠' '옴뇸뇸'

가끔, 고기를 주는 날도 있었다. 다른 강아지로 변한 듯, 거실을 미친 듯이 뛰어다녔다. "와앙! 와앙!" 하며 짖어대면서 고기를 따라 이리저리 날아다니는 모습을 보면, 마치 작은 톰과 제리 추격전을 현장에서 목격할 수 있었다. 고기를 들고 한쪽으로 이동하면, 그 방향으로 바람처럼 달려갔다. 마침내, 고기를 입에 물리면, 큰 사냥감을 잡은 듯한 뿌듯한 표정으로 냉큼 방석으로 내달렸다. 작은 폭탄이라도 터진 듯, 그 활기차고 에너지 넘치는 모습은 치킨을 시킬 때도 마찬가시였다.

전화를 거는 소리만 들어도 현관문 앞으로 직진했다. 그 모습을 떠올리면 지금도 웃음이 난다.

"여보세요, 네, 치킨 한 마리 배달해주세요. 프라이드로요. 주소는...."
전화 통화 소리만 듣고도 벌써 마음이 들떴는지, 옆에서 낑낑거렸다.

"네, 추가 소스는." 통화가 이어지면서 참지 못하고 벌떡 일어나 현관문에 도착했다. 자신이 주문한 것처럼 문 앞에서 꼬리를 살랑살랑 흔들며 기다리는 모습이 귀엽기 그지없었다. 혀는 반쯤 내밀고 계속해서 문만 바라보며 기대하는 표정을 지었다. 가끔은 일어나서 문을 두드리듯이 앞발로 톡톡거리다가도 고개를 갸우뚱하고 뒤를 돌아봤다.

"알겠어요. 그럼, 배달 조심하세요. 감사합니다." 통화를 끝내자 이미 치킨이 도착한 것처럼 한층 더 활발해졌다. 우리의 통화 목소리 톤만으로도 자신이 좋아하는 배달음식이 온다는 것을 알아챘기 때문이었다. 배달음식이 도착하는 그 짧은 시간 동안, 몇 번이나 현관문을 부산스럽게 오갔다. 가만히 좀 있으라고 침대에 올려놓아도 벨이 울리면, 초인적인 힘이 발휘돼 땅으로 가볍게 착지했다. 그 높이가 대략 80cm쯤 됐다. 배달이 오고 치킨 냄새를 맡은 희망이가 거꾸로 뛰어오를 때마다 매번 놀라곤 했다.

“야, 너 진짜 대단하다!” 공주님은 아무렇지도 않다는 듯 나를 힐끔 쳐다보고는 곧바로 치킨을 달라고 팔을 긁었다.

그 시절, 우리 집은 95년도에 완공된 구축 아파트였다. 태영건설에서 지은 이 아파트는 유치원과 시립미술관, 수목원이 가까이 있었다. 그리고 상권이 발달해 편의시설도 많았다. 녹지공간과 주거 및 상업지역이 잘 어우러져 인생 대부분을 함께했다. 단지 안에는 넓은 산책로와 잘 정비된 정원이 있어서, 솜사탕과 산책하기에도 더없이 좋았다. 주말마다 가족과 도보로 쇼핑하던 이마트, 홈플러스, 백화점 등의 상점들은 생활의 편리함을 더해 주었다.

희망이와 함께한 90년대와 2000년대의 추억은 정말로 소중했다. 어린 시절, 롤러 브레이드와 킥보드를 타고 동네를 돌아다니곤 했다. 문방구 앞에 있는 작은 트랙에서 미니카 대결을 하며 시간을 보내기도 했고, 100원짜리 동전을 넣어 스틱으로 조작하는 오락기 앞에 앉아있으면, 희망이는 옆에서 조용히 나를 지켜보곤 했다. 만화책방에 갈 때도 함께였는데, 내가 책을 고르는 동안 카운터를 보는 알바형과 놀거나, 구석에서 바깥을 내다보며 기다렸다.

2000년대에 접어들면서, 디지털 기기들이 우리 생활에 점점 스며들었다. 일본 기업의 MP3 플레이어로 음악을 듣고, 디지털카메라로 사진을 찍던 시절, SD카드 안에는 언제나 아가의 환한 미소가 고이 담겨 있었다.

엄마는 영문학과를 졸업했던지라 영어 과외를 했었다. 아빠 다음으로 서열 2위였던 엄마의 무릎은 희망이의 최애 장소였다. 엄마가 학생들에게 영어를 가르치고 있을 때, 무릎에 조용히 앉아있었고, 손으로 가르치는 내용을 설명할 때마다 눈도 함께 움직였다.

나는 어느덧 군대를 전역하고 대학교 2학년으로 복학했다. 그리고 토목공학 전공과목들로 바쁜 나날을 보냈다. 역학 수업은 특히 힘들었다. 매일 쏟아지는 과제와 시험공부에 지쳐가는 나날이었다. 주중에는 기숙사에서 지내다가 주말에는 희망이를 보기 위해 집으로 오는 것이 나의 작은 위안이었다. 공부하려 책상 앞에 앉으면, 희망이는 나의 펜을 물어뜯으러 오곤 했다. 솜사탕의 장난스러운 행동에 미소가 지어졌다.

대학 생활의 자유와 바쁨 속 어중간함에서, 여자친구와의 만남이 많아졌다. 희망이는 그 점을 질투하듯, 여자친구가 가끔 집에 오면 나와 여자친구 사이에 끼어들었다. 자신이 주인공인 양, 여자친구가 나에게 가까이 오려 하면 앞발로 그녀를 밀쳐냈다.

나는 대학 생활의 고단함과 솜사탕의 사랑, 여자친구와의 애틋한 시간을 함께 겪으며 성숙해져 갔다. 희망이와 함께한 시간들은 나의 대학 생활을 더욱 풍성하게 만들어주었고, 가족과 함께한 아파트 주변의 풍경들은 나에게 소중한 추억으로 남아 있다.

일상 속에서 언제나 함께했다. 특히 아빠와의 추억이 많았는데, 아빠의 취미는 등산과 사진 찍기였고, 솜사탕은 여러 장소를 따라 다니며 많은 추억을 쌓았다. 등산을 갈 때면, 작은 몸집에도 불구하고 씩씩하게 산길을 오르며 아빠의 발자취를 따랐다.

차를 타면 가끔 멀미했지만, 아빠가 옆에 있으면 금세 안정되곤 했다. 진정이 되면, 조수석에서 창밖을 바라보며 풍경을 즐겼다. 아빠가 사진을 찍을 때면, 모델처럼 자리를 잡고 앉아 카메라를 응시했고, 그렇게 찍힌 사진들은 앨범 속에 살아 숨 쉬고 있다.

사계절 내내 우리는 붙어있었다. 겨울이면, 이불 속을 파고들어 자신의 작은 왕국을 구축한 듯 편안히 웅크렸다. 따뜻한 그곳에서 한참을 꿈속으로 여행하곤 했다. 반대로 여름엔 더위 때문에 마룻바닥에 널브러져 온몸으로 시원함을 만끽하곤 했다. 바닥에 철퍼덕 배를 밀착하고 넓게 누워서 '세월아, 네월아'

언제나 우리 가족의 중심에 있었다. 명절에 차가 꽉 막힌 고속도로에서도, 휴게소에서도. 그리고 남해안의 섬들(완도, 외도, 거제도)을 다니며 그곳의 자연을 만끽했고, 공주 마곡사에 가서도 평온한 사찰의 분위기를 즐겼다. 사실 아가는 국내에 안 가본 곳이 없을 정도였다.

모든 순간이 소중했다. 사계절의 변화를 함께 느끼고, 계절마다 다른 추억을 만들며 우리에게 큰 기쁨을 주었다. 애완동물이 아니라, 진정한 가족이자 친구였다. 밝고 활기찬 에너지는 으레 긍정적인 영향을 주었고, 사랑스러운 모습은 일상 속에서 빛나는 별과 같았다. 우리는 그런 희망이를 진심으로 사랑했다.

(새콤달콤 솜사탕의 산책)

1-3 달콤해

달콤함은 새콤함과는 또 다른 매력을 뽐내는 영락없는 막내였다. 희망이가 차분하고 고양이와 비슷한 성격이었다면, 행운이는 더 활발한 아이였다. 멈추지 않는 호기심으로 집 안팎 구석구석을 탐험했다. 유별히 애교가 많은 달콤함은 우리에게 새로운 풍미를 불어넣어 주었다. 행운이를 데려온 이후, 우리 집은 다시금 생기가 돌기 시작했다. 그리고 세월이 지나, 나이가 들어 희망이가 떠난 후 느꼈던 공허함을 채워주었다. 그 아이는 우리 가족의 일원으로 빠르게 자리 잡았다.

새콤달콤 솜사탕이 완성될 때도 많았다. 희망이가 그래도 건강할 때는 두 아이가 서로를 바라보며 많은 시간을 보냈다. 새콤이는 언니처럼 달콤이를 돌보았고, 달콤이는 그런 언니의 행동을 따라 배웠다.

외모는 첫째와 확연히 달랐다. 작은 단추 같은 눈은 마치 어린아이의 순수함을 담고 있는 듯했다. 오밀조밀 모여 있는 코와 입은 사랑스러움을 덧붙였다. 희망이의 큰 눈과는 다른 매력을 가진 행운이의 얼굴은 항상 밝고 애교스러웠다. 롱다리도 눈에 띄는 특징 중 하나였다. 산책할 때마다 날씬하고 긴 다리로 경쾌하게 걷는 모습이 모델처럼 우아했다.

털은 반곱슬인 희망이와 달리 생모에 가까웠다. 그리고 빛을 받을 때마다 은은하게 반짝이는 털 덕분에 윤기가 흐르고 고급스러운 인상을 풍겼다. 또 하나의 특별한 점은 발바닥의 분홍 젤리였다. 성견이 되어도 그 분홍빛은 그대로 남아 있었다. 말랑말랑한 작은 젤리 발바닥은 첫째의 어린 시절을 그대로 재현한 듯했다. 그 외모와 성격은 새콤이와는 다른 특별함을 지니고 있어, 가족 모두의 사랑을 한 몸에 받았다.

첫째인 희망이를 키운 경험 덕분에 행운이를 키우는 일은 수월했다. 이갈이 시기에 맞는 장난감부터 척척, 그리고 사회성을 기르기 위한 다양한 강아지와의 만남, 그리고 영양이 듬뿍 든 간식까지.

말티즈가 모두 같은 성격이 아니라는 것을 알게 되었다. 고양이는 보통 물을 싫어하지만, 3대가 덕을 쌓아야 만날 수 있다는 수속성 고양이가 있는 것처럼, 행운이는 말티즈치고 너무나 순했다.

막내딸처럼 애교가 많고, 그저 아기였다. 아마도 인간에게 길들인 어미의 영향이 작용했을 것이다. 저녁 식사 시간에 가족들이 식탁에 모이면 행운이는 어김없이 다가와 말랑말랑한 배를 살살 긁어달라는 듯이 뒤집어 구르곤 했다. 식사 후 TV를 볼 때면, 꼭 한 명씩 다가가 애교를 부렸다. 누군가가 손을 내밀면 그 손에 자신의 얼굴을 부비며 사랑을 표현했다. 무시무시한 식탐을 빼놓고는 항상 배를 뒤집기 일쑤였다.

어느 정도 행운이가 어느 정도 성장하자, 아기 티를 벗고 개성을 드러내기 시작했다. 그러나 그 개성은 때로 충돌을 일으켰고, 특히 밥그릇 앞에서 그 충돌은 더욱 격렬해졌다. 새콤달콤 밥그릇 전쟁은 흔한 광경이었다.

어느 날 저녁, 저녁밥 시간이 다가오자 사료를 그릇에 담는 타다다닥 소리가 들리자, 두 솜사탕은 흥분을 감추지 못하고 부엌으로 달려왔다. 희망이는 특유의 활발한 성격을 그대로 드러내며 꼬리를 흔들며 제자리를 맴돌았고, 행운이는 차분하지만 날카로운 눈빛으로 희망이를 쳐다보았다.

밥그릇이 바닥에 놓이자마자, 각자 자기 그릇으로 달려갔다. 하지만 행운이는 자신의 그릇으로 향하던 중, 희망이의 그릇에 코를 들이밀었다.

"왕왕!" 희망이는 발을 굴렀다. 하지만 행운이는 물러서지 않았다. 오히려 한 걸음 더 다가가 희망이의 그릇을 탐냈다.

두 강아지는 서로를 마주 보며 눈싸움을 시작했다. 희망이는 짖으며 자신의 영역을 지키려 했고, 행운이는 머리 좀 컸다고 언니의 경고에도 물러서지 않았다. 오히려 한 걸음 더 다가가 희망이의 그릇을 탐냈다.

결국, 두 강아지는 동시에 자신의 그릇이 아닌 상대방의 그릇으로 머리를 들이밀었다. 희망이는 행운이의 그릇에서 냄새를 맡으며 고개를 갸웃거렸고, 행운이는 희망이의 그릇을 탐색하며 만족스러운 표정을 지었다. 그 순간, 두 마리 강아지는 마치 약속이라도 한 듯 서로의 그릇으로 밥을 먹기 시작했다.

"엄마, 행운이랑 희망이가 또 싸우면 어떡하지?" 내가 조심스럽게 물었다.

엄마는 한숨을 쉬며 고개를 저었다. "정말 걱정이네. 이러다간 밥 먹이는 것도 전쟁이야."
다시 한번, 두 마리의 강아지가 서로의 밥그릇을 향해 동시에 달려드는 순간, 나는 희망이를 붙잡고 엄마는 행운이를 제지했다.

"행운아, 이리 와! 네 그릇에서 먹어야지!" 엄마가 부드럽게 타일렀지만, 행운이는 여전히 희망이의 그릇을 탐내는 눈빛을 보냈다.

희망이는 나를 바라보며 억울한 표정을 지었다. "원래 사료는 그렇게 좋아하지 않는데, 행운이가 있으니까 자꾸 먹으려고 해. 질투심이 생긴 것 같아," 내가 말하며 희망이를 쓰다듬었다.

결국, 두 마리 강아지를 각각 다른 방으로 데려가 따로 사료를 먹였다. 희망이는 자신의 그릇에서 먹으면서도 가끔 행운이의 방을 신경 쓰는 듯했고, 행운이도 마찬가지였다.

"정말, 이 둘은 왜 이렇게 서로의 그릇을 탐내는 걸까?" 엄마가 고개를 저으며 물었다.

나는 웃으며 대답했다. "희망이는 행운이를 질투하고, 행운이는 희망이 사료가 더 맛있어 보이나 봐요.“

엄마는 고개를 끄덕이며 희망이를 달랬다. "행운아, 네 사료도 맛있어. 자, 이제 편안하게 먹어보자."

희망이와 행운이는 여전히 서로의 그릇을 탐내며 벽 너머에서 서로를 향해 짖어댔고, 그마저도 먹다 말고 다른 방으로 들어가기 일쑤였다. 사람도 남이 끓인 라면, 커피 그리고 먹던 과자를 뺏어 먹어야 더 맛있듯이. 하지만 이 휴전협정과 같은 평화는 오래가지 않았다. 치킨이 배달오면 가관이었다. 카드로 계산을 마치고 비닐봉지를 들고 거실에 발을 들이자, 서로 다투기 시작했다. 이럴때면, 나이가 많고 몸이 약해진 새콤이를 먼저 챙겼다.

"얘들아, 기다려! 희망이 먼저 먹자~ 막내는 잠깐 기다려."

행운이는 억울한 듯 나를 바라보며 소리 내어 짖었다. "왈왈! (왜 언니만 항상 먼저예요?)"

막내의 머리를 쓰다듬으며, "행운아, 네가 더 건강하잖아. 희망이는 이제 나이가 많고, 더 잘 챙겨줘야 해. 알겠지?"

희망이는 내 말을 이해한 듯 조용히 튀김을 벗겨낸 하얀 속살을 향해 다가갔다. 행운이는 잠시 주춤했지만, 이내 이해한 듯 옆으로 물러나 앉았다. "그래, 행운아. 너도 조금만 기다려줘. 곧 너도 먹을 수 있어."

희망이 한입, 행운이에게도 작은 조각을 건넸다. 행운이 한입.
행운이는 기뻐하며 꼬리를 흔들었다. "왈왈! (고마워요!)"
희망이를 다정하게 바라보며 말했다. "희망아, 천천히 먹어. 너의 건강이 가장 중요하니까."

막내 솜사탕은 고기야 물론이고, 첫째와 달리 삶은 달걀의 노른자와 브로콜리에 환장했다. 그리고 밥을 먹고 나면 항상 최고 아끼는 갈색 강아지 인형을 '으르렁' 물어뜯으며 놀았다. 그리고 어렸을 때부터 함께했던 초록색 스누피를 닮은 인형은 머리를 베고 자는 용도로 사용했다.

행운이의 집은 인디언 형식의 삼각대 모양이었다. 하얀 천으로 주위를 둘러싸고 있어 아늑하고 따뜻한 느낌을 주었다. 크리스마스가 다가오면, 집의 막대기에 구슬로 된 조명을 감싸 트리 모양의 장식으로 꾸몄다. 작은 요정의 집처럼 아기자기하고 아름다웠다.

어렸을 때부터 사회성을 길러줘서 다른 강아지들과 어울리는 것을 좋아했고, 그들 사이에서 언제나 중심에 있었다. 그러나 슬개골이 좋지 않아 종종 다리를 절기도 했고, 첫째와 비교하면 건강이 안 좋았다. 희망이가 슬개골, 내장, 피부병 등 여러 가지 면에서 튼튼했던 반면, 행운이는 자주 병원 신세를 져야 했다. '이러한 차이는 어디에서 비롯된 걸까?' 내심 추측은 했지만, 수의사와의 대화로 의심은 확신으로 굳어졌다.

동물병원에 가면 희망이를 진찰했던 수의사와의 대화가 떠오른다. " 희망이는 이렇게 튼튼한데, 왜 행운이는 자꾸 아픈 걸까요" , "애견센터와 가정분양의 차이가 명확합니다. 행운이처럼 상업적으로 태어난 강아지들은 유전적으로 건강하지 않은 경우가 많아요."

"그럼 어떻게 해야 하나요?" 내가 묻자, 수의사 선생님은 깊은 생각에 잠긴 듯 고개를 끄덕이며 말을 이었다.

"자본주의 시장에서 수요가 사라지면, 절대 살아남을 수 없습니다. 애견센터에서 강아지를 사지 않는 것이 최선의 해결책입니다. 그들의 생계가 달렸다는 점은 안타깝지만, 우리가 우선, 생각해야 할 것은 동물들의 복지입니다. 정말로 동물을 사랑한다면, 잘못된 행위를 멈추는 것이 필요합니다."

나도 그 말에 동의하며 답했다. "동물원도 마찬가지예요. 인본수의에 입각한 돈벌이에 지나지 않습니다. 이미 이 아가는 우리의 가족이고 인연이지만, 앞으로는 유기견 센터에서 반려견을 찾는 일이 더욱 중요한 것 같습니다."

희망이와 행운이의 차이는 단지 운명의 장난이 아니라, 선택에 따른 결과였다. 우니를 인연으로 만날 수 있었던 그 선택에 절대 후회하지 않았다. 앞으로는 많은 사람의 인식이 개선되어, 입양하는 방법이 바뀌길 소망했다. 달콤한 솜사탕은 이러한 현실 속에서 태어난 강아지였다. 비록 몸은 약했지만, 마음은 언제나 따뜻하고 밝았다.

어린 시절, 투니버스를 통해 만화영화를 즐겼듯이, 내 강아지들도 텔레비전 앞에서 눈을 떼지 못했다. 동물이 등장하는 장면에서는 목청을 높이며, 한시도 가만있지 못했다. 내셔널지오그래픽 채널을 틀면,

화면에 물고기가 헤엄치는 모습이나 사자나 호랑이가 사냥하는 장면을 보며 티비 앞으로 짖으며 달려갔다. 귀가 벌겋게 흔들리며 몸을 엎드려 자세로 웅크려 자신도 사냥하는 것처럼 하더니, 곧장 앞다리를 들어 화면을 다다다닥 터치했다. 그 녀석들은 동물과 관련된 프로를 틀어주면 완전히 빠져들었다.

공무원 생활내내 늘 함께였다. 성인이 되어 만난 달콤한 솜사탕은 바쁜 사회생활 속에서도 항상 곁에 있어 주었다. 가슴 아픈 기억 중 하나는 가족 모두 외출했을 때, 현관문으로 이어지는 문을 깜빡 닫지 않으면, 가족의 체취가 묻은 신발 위에서 우리가 돌아오기를 기다렸다. 그 작은 몸이 신발 위에 둥글게 말린 모습은 애잔하면서도 사랑스러웠다.

퇴근 후, 집에 돌아오면 얼굴 중 코를 핥으며 거실을 신나게 뛰어다니며 놀았다. 어느새 시간은 밤 12시. 우리는 함께 방으로 들어가고, 나는 "잘자"라고 인사하며 강아지 클래식을 틀어놓았다. 행운이는 음악 소리에 안심한 듯 곤히 잠들었고, 새근새근 숨을 쉴 때마다 가슴이 상하로 흔들렸다. 곧 깨서 엄마 옆으로 가긴 했지만, 이불 속에 파

묻혀 자는 아기 천사를 바라보면, 하루의 피로가 모두 풀리는 기분이었다.

행운이와의 시간은 짧고도 길었다. 매일 반복되는 일상 속에서 바쁜 와중에도, 행운이와 느낀 감정들은 때로는 기쁨으로, 때로는 아쉬움으로 물들었다. 막내의 순수한 사랑과 애정 덕분에 나는 지치는 인간관계 속에서 더 강해질 수 있었고, 더 나은 사람이 될 수 있었다. 이렇듯, 새콤달콤 솜사탕은 우리에게 끝없는 기쁨과 행복을 주었다. 이제는 무엇과도 바꿀 수 없는 소중한 추억으로 남아 있다.

(희망이 15살 / 행운이 3살)

제2화 하늘이 떼어먹은 솜사탕

고등학교 시절, 아빠와 여동생은 거실 소파에서 대화를 나눴다. TV에서는 개그 콘서트가 재방송 중이었고, 창밖에는 어둠이 몰려오기 전 붉은 노을이 하늘에 수를 놓았다. 나는 테이블에 앉아 영어 단어를 외우고 있었다.

"희선아, 너 말티즈의 기원을 알고 있니?" 아빠가 물었다.

"음... 잘 모르겠어요, 아빠. 하지만 말티즈가 솜사탕을 닮았다는 생각은 들었어요," 웃으며 대답했다.

"솜사탕?" 아빠가 놀란 듯 물었다.

"응, 아빠. 솜사탕은 어떻게 만들어지는지 아세요?" 희선이는 반짝이는 눈으로 아빠를 바라보며 물었다.

"글쎄, 그건 잘 모르겠는데, 너는 알아?" 아빠가 물었다.
"네! 19세기 후반에 미국에서 윌리엄 모리슨과 존 C. 워튼이 만든 기계로 설탕을 가열해서 실처럼 가늘게 뽑아낸 거래요. 그게 솜사탕의 시작이죠!" 동생이 대답했다.
나는 그들의 대화를 흥미롭게 듣다가 문득 말티즈와 솜사탕의 기원이 실제로 유사한지 궁금해졌다. 그래서 방으로 들어가 인터넷으로 검색했다.
"말티즈는 약 2,800년 전 몰타에서 기원했대." 검색 결과를 보며 말했다. "고대 그리스와 로마 시대의 귀족들이 애완동물로 길렀고, 우아함과 지성으로 특별한 존재로 여겨졌다고 해."

"정말? 말티즈도 역사가 오래됐구나," , "솜사탕처럼 말티즈도 많은 사람들에게 사랑을 받았네."
아빠는 미소를 지으며 우리를 바라보았다. "희선아, 네 말이 맞았어. 말티즈와 솜사탕은 모두 사람들에게 달콤한 추억과 행복을 주는 존재구나."
나는 이 이야기를 기록해뒀다. 말티즈와 솜사탕의 기원처럼, 우리의 추억도 결코, 녹지 않는 소중한 기억으로 남길 바라면서.

학창시절부터 늘 함께했던 새콤한 솜사탕 '희망'

초등학교 때는 방귀차가 내뿜는 하얀 연기를 따라다니며 뛰어놀았던 반면. 준학교에 들어가면서 킥보드나 롤러브레이드를 타고 놀았다. 그리고 목줄을 들고 뒤따라 나오는 엄마의 모습이 익숙했다.

"와, 너희들 코너링 진짜 잘 하네!" 친구 중 한 명이 말했다.

"희망이도 한번 타볼래?"

희망이는 꼬리를 흔들며 "멍! 멍!" 하고 답했다.

"넌 정말 우리랑 같이 노는 걸 좋아하는구나, 희망아," 친구들이 희망이를 쓰다듬으며 말했다.

엄마는 희망이의 목줄에 끌려 이리저리 뛰어다녔고, 우리는 그 뒤를 따랐다. 그리고 수영장에 가면 휴게실의 투명한 유리로 수영장 실내를 볼 수 있었다. 희망이는 그곳에서 내가 수영하는 모습을 지켜봤다.

"수영장 물이 너무 시원해!" 친구 중 한 명이 소리쳤다.
"맞아, 여름에는 수영이 최고지," 내가 말했다.

휴게실을 쳐다보니, 물은 죽도록 싫어하는 솜사탕이 벽 너머에서 꼬리를 마구 흔들었다. 앞발로 톡톡 두드리며 우리를 응원하는 듯했다.
"저기 봐, 희망이가 우리 보고 있어!" 친구가 손을 흔들며 말했다.
"희망아, 조금만 기다려! 우리 금방 갈게," 내가 외쳤다.
희망이는 "멍멍!" 하며 마치 이해한다는 듯 고개를 끄덕였다.

찰나의 가출 : 가슴이 철렁했던 순간

2000년대 초반, 그 시절은 문을 열어놓고 지내는 이웃들이 많았다. 우리 집은 대체로 문을 닫고 지냈지만, 그날 나는 무심코 문을 열어 마트에 다녀왔다. 겨우 10분 남짓이었지만, 집안에 희망이가 보이지 않았다.

"없다!" 순간, 가슴이 철렁했다.

비상시데였다. ‘희망이는 어디로 갔을까?’ 혹시나 하는 마음에 소리를 지르며 급히 문밖으로 뛰어나갔다. "희망아! 희망아!“

계단을 뛰어 내려가며 “희망아!”를 외치던 순간, 12층에 도착했다. 그곳에서 우리 호수를 바라보며 앉아있는 희망이를 발견했다. 문 앞에 앉아 기다리고 있는 새콤한 솜사탕의 모습은 마치 자신이 질못 니갔다는 걸 알고 기다렸던 것 같다. 그것도 엘리베이터가 열리면 정확히 우리 집 호수인 왼쪽 문 정중앙에.

나를 쳐다보며 "왜 이제야 왔어?"라는 표정을 짓고 있었다. 나는 내 머리를 쥐어박고, 소중한 생명이 거기 있어 줘서 너무 감사했다.

희망이를 안고 집으로 돌아오며 한참 안도의 한숨을 내쉬었다. 그날 이후로, 나갈 때 행운이와 희망이가 따라오지 않도록 문을 꼼꼼히 확인하게 되었다. 솜사탕이 어딘가로 떠나, 잃을 뻔한 순간은 지금도 가슴을 졸이게 한다.

아빠의 출근과 외출

고등학교 시절, 아침마다 아빠가 일어나서 씻는 소리를 듣고 희망이는 고개를 살짝 들었다. 침대 위에서 꾸벅꾸벅 졸다가도, 아빠가 출근하는지 알았다. 그때는 그냥 문 앞에서 잠깐 배웅만 하고 다시 자기 자리로 돌아와 잠을 청하곤 했다.

똑같은 시간에 아빠가 외출하기 위해 씻을 때부터 낑낑거렸다. 그리고 신발을 신는 순간 아빠의 허벅지에 타다다다 긁으며 "나도 데려가 줘!"라고 말하는 듯이 빙글빙글 돌았다.

엄마: "희망이가 어떻게 출근과 외출을 구분하는지 정말 신기해. 똑같이 씻고 나오는 건데, 출근할 땐 얌전히 있다가 외출할 땐 데려가 달라고 낑낑거리는 걸 보면 말이야."

아빠: "그러게 말이야. 나도 신기해. 요일을 아는 건지, 내 행동의 미세한 차이를 아는 건지, 설마 내 감정까지 알아보는 걸까?"

엄마: "그런가, 출근할 때와 외출할 때 걷는 방식이 다른가 봐."

아빠: "정말 영리한 녀석이야. 매일 같은 시간에 일어나서 내가 준비하는 걸 보고도 그 미세한 차이를 구분하는 걸 보면 말이야."

엄마: "정말 우리밖에 모르는 것 같아서 고마워."

군대에서의 만남

훈련병 생활을 마치고 자대로 배치받았다. 그리고 처음으로 면회를 할 수 있었다. 외할머니와 할아버지께서도 오셨는데, 치킨, 과일, 족발, 중국집 음식 등을 상차림이 부러질 정도로 갖고 오셨다. 식탁 위에는 다양한 음식들이 차려져 있었고, 그 풍성함이 나를 향한 가족의 사랑을 실감하게 했다.

할머니가 나를 보며 말씀하셨다. "아이고, 우리 손주 얼굴이 반쪽이 됐네. 훈련이 많이 힘들었구나." 할아버지도 한마디 거드셨다. "그래도 많이 의젓해졌네. 고생 많았다.“

그 순간, 희망이가 나를 발견하곤 거친 발걸음으로 달려왔다. 그 작은 몸이 나를 향해 전력 질주하는 모습을 보니, 가슴이 뭉클해졌다. 내 앞에 와서 꼬리를 흔들며 반겼고, 나는 그 따뜻한 모습을 보며 눈시울이 뜨거워졌다.

그동안의 그리움과 애정이 한꺼번에 쏟아지는 듯, 희망이는 내 다리와 팔에 얼굴을 비볐다. 그리고 각개전투로 까지고 새까맣게 탄 내 손을 마치 위로하듯 부드럽게 핥기 시작했다. 따뜻한 혀끝에서 느껴지는 애정과 그리움이 나를 감싸며, 고된 훈련의 피로가 조금이나마 풀리는 듯했다. 가족과 만남도 반가웠지만, 솜사탕의 순수한 사랑을 다시금 느낄 수 있어 더욱 특별했다.

짧은 첫 면회를 뒤로하고 다시 군 생활에 몰두했다. 상병 시절, 탄약고 근무를 서던 어느 날이었다. 어두운 새벽, 차가운 겨울바람이 칼날처럼 불어오던 때, 희망이가 너무 보고 싶었다. 탄약고는 고요하고 차가운 곳이었다. 근무 중 심심할 때면, 김범수의 '보고싶다'를 불렀다. "보고 싶다... 이 말밖에..." 차가운 탄약고 안에서 울려 퍼지는 내 노랫소리는 마치 희망이에게 닿기를 바라는 마음이었다. 솜사탕과 함께했던 따뜻한 기억들이 떠올랐고, 그리움이 더욱 커져만 갔다. 새콤한 솜사탕은 힘든 순간마다 나를 버티게 해주는 원동력이었다. 나에게 단순한 애완견 이상의 존재였다.

집 근처 시립미술관에서의 추억

시립미술관의 넓은 잔디밭은 녹음이 짙고, 푸른 잔디가 펼쳐진 아름다운 장소였다. 잔디밭을 둘러싼 나무들은 각기 다른 계절에 따라 색색이 변해가며, 곳곳에 설치된 예술 작품들이 자연과 조화를 이루었다. 햇살이 밝게 내리쬐는 날이면, 인공 분수와 함께 산책을 즐기거나, 가족과 시간을 보내기에 더할 나위 없는 장소였다.

우리는 솜사탕과 함께 시립미술관에 갔다. 주변에 돗자리를 깔고 앉아 계신 부부의 아기가 있었다. 3살이라고 하며, 아직 말을 제대로 하지 못했지만, 솜사탕을 보자마자 만지려 뛰어왔다. 희망이는 잔디밭을 가로질러 달려가더니 나무 뒤에 숨어 아기를 기다렸다.

아기가 이리저리 걸어 다니며 희망이를 찾으면, 재빨리 다른 곳으로 숨어버렸다. 아기가 등 뒤에서는 자신을 볼 수 없다는 점을 이용하여, 계속 다른 나무 뒤로 이동했다. 숨바꼭질 놀이를 하면서도 자신이 아기를 놀리고 있다는 걸 아는 듯, 살짝 모습을 드러내며 아기의 호기심을 일으켰다.

나는 이때 정말 놀랐다. 강아지 지능이 이렇게 높다고? 사람이 뒤에는 눈이 달리지 않았다는 점을 인식하는 놀이였다. 그리고 아기가 찾는 방향을 예상하고 다른 쪽으로 빠르게 이동하며 아기를 놀리는 모습도 뛰어났다. 강아지를 키우기 전에는 그들의 지능이 이렇게 높은지 몰랐지만, 사람 4살 이상의 지능을 지녔다는 말이 이해되는 순간이었다.

어미를 다시 만나다.

7살이 되었을 때, 어미 개와의 재회는 예상치 못한 방향으로 흘러갔다. 어릴 적, 엄마 곁에서 젖을 먹고 놀던 기억은 아련하게 남아 있었을지 모르나, 세월이 흐르며 희망이의 머릿속 어미의 모습은 희미해졌다. 어느 날, 노쇠한 모습의 어미 개가 우리 집에 찾아왔다. 나는 주인분과 어미 개를 맞이했지만, 딸은 어미를 알아보지 못했다. 오히려 경계심을 품고 멀리서 지켜보았다.

어미 개도 마찬가지로, 이제는 딸을 기억하지 못했다. 처음엔 서서히 다가가더니, 이내 흥미를 잃은 듯 고개를 돌렸다. 시간이 얼마나 지났는지, 서로의 모습이 너무 많이 변해버린 탓인지. 도리어 딸이 꼬리를 내리고 조심스럽게 냄새를 맡아보려 했지만, 경계의 눈빛은 감추지 못했다. 조금 안타깝기도 했지만, 솜사탕이 이제는 확실히 우리 '가족의 일원'이라는 반증을 뜻하기도 했다. 솜사탕의 동공 속에 비치는 가족은 우리였다. 아빠가 희망이를 부를 때의 부드러운 목소리, 엄마가 안아줄 때의 따뜻한 손길, 그리고 나랑 놀 때의 웃음소리. 이 모든 것이 희망이에게는 가족의 증표였다.

지궁 척출 수술은 과연 좋기만 할까?

수술 후, 급격히 노쇠해졌다. 그리고 배를 보이며 눕지 않았다. 어쩌면 일종의 트라우마가 남은 듯했다. 배는 늘 불러있는 상태로, 복수가 차 있었다. 비록 내가 수의사는 아니지만, 건강한 몸에 익지로 칼을 대는 것이 과연 옳았는지에 대한 의문이 머릿속을 맴돌았다. 자궁을 척출한 후로 엎드리기는 했지만, 예전과 같이 대자로 편히 누워 쉬지는 않았다. 걸을 때마다 다소 무거운 발걸음을 옮겼다. 아직도 수술대 위의 기억을 잊지 못하고 있는지도 모른다. 그날의 아픔과 두려움이 마음에 깊은 상처를 남긴 듯했다.

나는 수많은 밤을 뒤척였다. 건강한 몸에 수술을 강행한 것이 잘못된 결정이었을지도 모른다는 자책감이 가슴을 짓눌렀다. 그녀의 복부는 수술 전과는 다르게 항상 불러있었고, 더는 이전의 활기찬 모습을 되찾지 못했다. 수술을 결정했던 날로 돌아갈 수만 있다면, 암컷이라고 반드시 그런 아픔을 주지 않았을 것이다. 아가의 건강과 행복을 위해 한 결정이었지만, 결과적으로 더 큰 고통을 준 것은 아닌지, 의문과 후회가 끊임없이 밀려왔다.

국내 곳곳 여행을 함께한 새콤한 솜사탕

무더운 여름날 해운대 장에서 추억은 잊을 수 없다.

“사랑을 위한 ~ 여행을 하자. 바닷가로 ~ 빨리 떠나자! 야이야야야 바다로~”

그날, 관광객들로 북적였고, 바닷바람이 시원하게 불어왔다. 솜사탕은 처음 보는 바다에 호기심을 가득 안고, 모래사장을 뛰어다녔다. 작은 발이 모래에 닿을 때마다 자잘한 모래알이 튀어 오르며 흰 털에 붙었다. 파도가 밀려오자 한참을 고민하다가 물에 발을 담갔고, 곧이어 작은 물결에 깜짝 놀라며 뒤로 물러나는 모습이 너무나 귀여웠다. 그런 희망이를 보며 한참을 웃었다.

희망이는 모래사장 구석구석 작은 조개껍데기와 해초를 발견하며 신기해했다. 그리고 또다시 파도가 밀려오는 것을 보며 물과 모래가 만나는 경계를 조심스럽게 다가갔다. 이따금 파도가 높게 치면 잽싸게 뒤로 물러나며 작은 소리로 ”우워엉“ 파도와 숨바꼭질을 하는 것 같았다.

해운대는 다양한 먹거리 중에 시원한 아이스크림과 달콤한 솜사탕을 사서 나눠 먹었다. 희망이는 사람이 먹는 음식을 탐내며 옆에서 간절한 눈빛으로 쳐다봤다. 우리는 솜사탕을 조금 떼어주니, 단숨에 먹어치우더니 우리 눈을 번갈아 봤다.

"여름날 해운대는 정말 좋다. 바다도 예쁘고, 강아지들도 너무 행복해 보여," 엄마가 말했다.
아빠가 덧붙였다, "맞아, 희망이가 이렇게 즐거워하니 기분이 좋네.“

어린 시절, 우리도 웃으며, "희망이도 우리처럼 바다를 좋아하는 것 같아. 같이 놀 수 있어서 너무 행복해, "라고 말했던 기억이 난다.

오후가 되자 해운대 해변은 한층 더 붐비기 시작했다. 모래사장에서 신나게 뛰어논 후, 파라솔 아래에서 잠시 쉬었다. 시원한 바닷바람이 불어오며 희망이는 피곤한 듯 눈을 감고 잠시 낮잠을 청했다.
해가 저물어가며 해운대는 아름다운 황혼에 물들었다. 노란빛으로 물든 바다와 모래사장이 황홀하게 펼쳐졌고, 그 순간의 풍경을 모두의 마음속에 깊이 간직했다.

그리고 남해안의 섬들 (완도, 외도, 거제도) 그리고 마곡사에 가는 여행도 추억 속에 깊이 새겨져 있다. 섬으로 가는 배 위에서 바람을 맞으며 고개를 내밀고 주변 풍경을 감상했다. 호기심이 얼마나 많던지 큰 눈망울이 빛나고 있었다. 외도의 아름다운 자연 속에서는 자유롭게 뛰어다녔고, 거제도의 푸른 바다를 배경으로 사진을 찍을 때는 마치 모델처럼 포즈를 취하기도 했다. 마곡사의 고즈넉한 절 주변을 산책할 때는 잔잔한 바람과 함께 고요함을 즐기며, 조용히 시간을 보냈다. 이외에도 대한민국 곳곳을 함께 다녔다. 그 추억들이 하나하나 모여 소중한 보물로 남아 있다.

공무원 임용과 면직을 함께한 달콤한 솜사탕

매일 아침 7시 반, 나는 일어나 샤워를 하고, 간단한 아침으로 미숫가루를 허겁지겁 들이켜며 옷을 차려입는다. 8시 15분이 되면 집을 나서 지하철역으로 향한다. 바쁜 사람들로 가득 찬 거리와 붐비는 지하철 안에서 그저 반복되는 하루를 시작할 뿐이다.

지하철 문이 열리고 출발한다. "덜컹덜컹" 소리가 나는 가운데, 다음 정거장 승객들이 밀려 들어온다. 나는 익숙한 자리에 서서 오늘도 손잡이를 잡는다.

"지금 역은 정부청사역입니다. 내리실 문은 왼쪽입니다. The next station is Government Complex Station. The doors are on your left." 지하철 아나운서의 목소리가 귓가에 울린다.

대기업에서 공무원으로 이직 후 7년 동안 안정적인 삶을 추구했지만, 그 속에서 느껴지는 지루함과 반복적인 일상에 지쳐갔다. 매일 아침 8시 40분, 출근길의 회색빛 거리와 붐비는 지하철 안에서 깊이 고민

했다. "내가 정말 공무원에 적합한가?, 하. 또 대기업에 이어서 왜 이래? 나는 정말 직장 생활과 맞지 않는 사람인가?" 더 높은 꿈을 향해 달리고 싶어. 내가 하고 싶은 일을 하고 싶어!" 자아정체성으로 둘러싼 의문은 점점 커져만 갔다.

일과 시간에는 주어진 업무를 처리하고, 보고서를 작성하며, 회의에 참석했다. 겉으로는 안정적이고 규칙적인 삶이었지만, 내면에서는 끊임없는 갈등이 일었다. '당신은 공무원입니까'라는 질문에 답을 찾는다면, 나는 단호하게 말할 수 있다. 틀에 갇힌 보수적인 곳에서 반복적인 작업을 할 수 없는 사람이라고.

퇴사 전 6개월간의 시간은 끝이 보이지 않는 터널을 터벅터벅 걷는 것 같았다. 매일 아침, 출근을 위해 집을 나서는 발걸음이 무거웠고, 사무실 문을 여는 순간부터 마음 한구석에서부터 피로가 밀려왔다. 책상에 앉아 업무를 처리하면서도, 계속해서 머릿속에 울리는 생각은 '나는 여기서 무엇을 하는 걸까?'라는 질문이었다.

하루하루 반복되는 단조로운 일상과 끝없는 서류 작업 속에서 나는 점점 지쳐갔다. 모든 것이 무너져 내리는 것 같았고, 잠을 자도 피로는 풀리지 않았고, 매일 밤 침대에 누우면 내일을 맞이할 힘이 사라져가는 기분이었다.

그러던 중, 결혼을 약속했던 여자친구와의 관계도 파국을 치달았다. 서로의 상처를 드러내며 비난을 주고받는 그 순간, 우리 관계를 회복할 수 없음을 깨달았다. 그녀와의 마지막 대화는 가끔 생각난다. 그렇게 6개월을 보낸 후, 나는 결국 퇴사했다. 사직서를 제출하는 순간, 무거웠던 짐이 조금은 덜어져 내려감과 동시에 불확실한 미래가 두려웠다.

그 처음과 끝을 같이한 공주님은 바로 달콤한 솜사탕이었다. 7년 동안 무수히 많은 회식이 있었다. 그날따라 늦게 들어가는 날이면, 새벽의 조용한 집 안은 나를 맞아주는 따뜻한 온기와 함께 고요함이 감돌았다. 술 냄새가 진동하는 나를 본 행운이는 한 번도 주저하지 않고 달려와서 반겨주었다. 몸에서 나오는 따뜻함은 하루의 피로를 씻어주는 최고의 치유제였다. 대충 씻고 나서, 곤히 잠들어 있던 엄마 옆을 지났다. 그러자, 내 침대로 순찰오는 솜사탕의 발걸음은 부드럽고 조용했다. 침대로 올라와 몇 시간 동안 나와 함께 잠을 자다가, 다시 엄마 곁으로 돌아가던 모습은 사랑스러운 막내를 빼닮았다. 이런 둘째를 키우지 않았더라면, 말티즈는 첫째처럼 성격, 외형, 지능 등 모두가 비슷한 줄 알았다.

새콤한 솜사탕은 대체로 매우 건강했으나, 눈 밑의 하얀 털이 붉거나 갈색으로 변한 눈물 자국이 있던 반면에 달콤한 솜사탕은 귓병과 함께 피부병이 가끔 재발했음에도 불구하고, 눈물 자국은 거의 없었다. 막내로서 애교가 정말 많았고, 하염없이 달콤했다. 그리고 그 차이는 다른 성격에도 크게 영향을 미쳤다. 행운이는 유난히 예쁜 것들을 좋아했다. 플라스틱 물그릇보다는 빛나는 크리스털 유리컵에 담긴

물을 먹었고, 사료 그릇도 예쁜 것을 선호했다. 또한, 인형도 여자아이들이 좋아하는 공주같이 생긴 인형을 좋아했다. 심미적 욕구가 강해서 옷을 입을 때도 디자인을 중시했다. 그리고 개구쟁이 막내였다.

희망이는 까까나 고기를 좋아했지만, 행운이는 브로콜리나 오이 같은 채소도 잘 먹었고, 사료도 잘 먹는 편이었다.

산책할 때도 큰 차이를 보였다. 희망이는 보도로 걸으면서 주변을 탐색했지만, 행운이는 풀밭, 나무, 돌을 가리지 않고 여기저기 둘러봤다. 엉거주춤 걸으며 시도 때도 없이 마킹할 때마다 성별이 바뀐 줄 알았다. 그리고 지나가는 사람을 좋아했다. 공원에서 여럿에게 다가가 인사를 건넸다. 그럴 때마다 사람들은 걸음을 멈추고, 달콤한 솜사탕을 만져보기도 하고, 미소를 지었다. "어머, 저 강아지 정말 귀엽다! 토끼 같아!"라며 여자들이 칭찬을 건넬 때마다 행운이는 꼬리를 흔들며 애교를 부렸다. 큰 눈을 반짝이며 이리저리 고개를 돌리는 모습은 한층 더 귀여움을 자아냈다. 그녀는 칭찬을 들으면 더욱 신이 나서 폴짝폴짝 뛰어다니며 사람들에게 다가갔다.

순하디순한 성격이었지만, 산책 스타일만큼은 고집이 셌다. 자신만의 특정 루트를 고집하며, 천변을 따라 걷기를 좋아했다. 하천을 따라 풀밭에서 만난 산책 메이트들과도 빠르게 친구가 되었다. 함께 뛰놀고 냄새를 맡으며 순수한 시간을 보냈다. 그리고 첫째인 희망이와 함께 산책하러 나가는 날에는 그 모습이 더욱 특별했다. 새콤한 솜사탕은 달콤한 솜사탕을 다정하게 돌보며 달콤한 산책 루트를 순순히 따라갔다. 가끔 두 마리가 나란히 걸을 때, 새콤달콤 솜사탕이 완성되었다.

겨울이 다가오자 여동생은 거실 소파에 앉아 바늘을 바쁘게 움직였다. 전기난로에서 타오르는 빨간 불빛이 그녀의 손놀림을 따뜻하게 비추고, 솜사탕들은 옆에서 졸린 눈으로 동생을 바라보고 있었습니다. 실 한 가닥, 한 가닥이 서로 엮여 마침내 따뜻한 스웨터가 완성됐다. 희망이의 스웨터는 부드러운 파스텔 핑크였고, 행운이의 스웨터는 노란색이었다.

먼저 희망이에게 스웨터를 입혀보니, 손길에 따라 순순히 스웨터를 입었다. 희망이는 마치 새 옷을 자랑하고 싶은 듯 꼬리를 흔들며 이리저리 돌아다녔다.

"이제는 행운이 차례"

엄마: "정말 예쁘게 만들었네. 두 솜사탕이 너무 귀엽다."

여동생: "추운 날씨에도 걱정 없겠어."

하얀 눈이 내려 길가에 소폭소폭 쌓인 겨울날, 솜사탕들은 공주 마곡사에서 산책을 즐겼다. 그날은 온 세상이 하얗게 변한 날이었다. 완성된 새콤달콤 솜사탕들은 꽁꽁 싸맨 옷을 입고 눈밭을 뛰어다녔다. 그리고 눈이 소복이 쌓인 길을 따라, 고요한 사찰의 풍경이 들어왔다. 행운이는 눈을 처음 본 듯, 그 희한한 하얀 세계에 하얀 몸으로 반응했다. 눈발을 쫓아 뛰어다니며, 눈 덩어리를 물어보려는 듯 이리저리 다녔다. 눈이 녹아 입안에서 사라지는 것을 신기해하며 여러 번 시도하는 모습이 마치 어린아이와 같았다. 반면에, 익숙한 희망이는 눈 위에 발을 디딜 때마다 작고 가벼운 발자국을 남기며, 유유히 선배의 포스를 보였다.

엄마는 달콤한 솜사탕이 눈을 보고 신기해하는 모습을 보며 웃었다. "눈이 처음이라 그런지 정말 좋아하네. 이렇게 신기해할 줄이야," 엄마는 미소를 지으며 말했다.

우리는 두 강아지를 향해 손을 흔들며, "희망이! 행운이! 여기로 와봐!"라고 외쳤다.

마곡사는 눈 덮인 산사로 기와지붕 위로 하얀 눈이 소복이 쌓여 고요한 아름다움을 더했다. 그 고요함 속에서 강아지들의 발소리와 가족들의 웃음소리가 어우러졌다. 눈길을 따라 걷는 동안, 가족들은 사찰의 정적과 평온함을 느꼈다.

"이렇게 고요한 사찰에서 눈 내리는 풍경을 보니 마음이 차분해지네.“

이렇게 산책을 마치면, 대망의 목욕의 시간이 온다.

희망이는 목욕할 때마다 몸을 이리저리 안절부절못하며, 빨리 끝나기를 바랐다. 앞다리만 들고, 목욕 시간을 최대한 줄이라고 말하는듯했다. 반면에 행운이는 온수에 몸을 맡기며 가만히 앉아있었다. 노곤한 몸을 물에 지지던 모습은 사람들이 스파를 즐기는 것처럼 보였다.

희망이와 행운이는 둘 다 각자의 개성이 넘쳤지만, 교육할 때마다 그 개성은 극명히 드러났다.

처음엔 맛있는 간식으로 유혹해보았다. "희망아, 앉아!" 내가 명령을 내리자, 희망이는 나를 가만히 바라보다가 코웃음을 치듯 고개를 돌렸다. 나는 더 맛있는 간식을 손에 들고 "희망아, 앉아!"라고 다시 명령을 내렸다. 이번엔 살짝 고개를 돌리고 눈을 깜빡이더니, 그 자리에서 땅을 파는 시늉만 했다.

"희망아, 이건 정말 맛있는 까까야!" 나는 애원하듯 간식을 흔들어 보였다. 희망이는 이번엔 한숨을 쉬듯 코를 킁킁댔다. 그리고는 '이 정도로는 나를 유혹할 수 없어'라는 듯이 엉덩이를 들썩이며 간식을 바라보았다.

새콤한 솜사탕답게 할 줄 알면서도, 지가 내킬 때만 움직였다. 반면에 막내는 교육을 즐거운 게임이라고 생각했던 것 같다. "행운아, 앉아!"라고 말하면 즉시 앉았다. 그리곤 귀를 팔랑팔랑 움직이며, 다음 명령을 기다렸다. "행운아, 엎드려!" 바닥에 착 엎드리더니 꼬리를 흔들며 나를 바라보았다.

"행운아, 빙글빙글 돌아!" , "행운아, 하이파이브!" 말이 끝나기 무섭게 앞발을 번쩍 들어, 내 손바닥을 톡 치고는 고개를 갸웃하며 바라보았다. 조금 더 어려운 걸 해보기로 했다. "행운아, 춤춰봐!"라고 말하자, 이거는 못하겠는지. 괜히 내 넓적다리를 파파박하고 긁으며 '얼른 간식이나 내놔라.'

나는아 꽃 먹는 솔사탕

우리 집 베란다는 작은 정원처럼 아름답게 꾸며져 있었다. 엄마가 정성 들여 가꾼 40여 종의 화분들은 각각 특유의 아름다움을 뽐내고 있었다. 햇빛이 잘 드는 낮에는 화사한 꽃들이 피어나고, 저녁이 되면 은은한 조명이 켜져 낭만적인 분위기를 자아냈다. 희망이는 이곳을 좋아해 종종 꽃을 뜯어 먹고 놀았지만, 행운이는 별로 관심을 두지 않았다.

어느 날 밤, 우리 가족은 저녁 식사를 마치고, 거실에 모여 앉아 TV를 보고 있었다. 희망이와 행운이도 한가롭게 우리 곁에 있었는데, 갑자기 베란다 쪽에서 작은 소리가 들려왔다.

“뭐지? 누가 베란다에 들어왔나?” 아빠가 궁금해하며 말했다.

“혹시 나방처럼 큰 벌레가 들어온 거 아닐까요?” 여동생이 조심스럽게 추측했다.

엄마는 미소 지으며 말했다. “희망이와 행운이 베란다로 나가볼래? 너희가 해결할 수 있을 거야.”

문을 열어주자, 희망이가 베란다로 나갔다. 곧이어 그 뒤를 행운이가 따라갔다. 희망이는 냄새를 맡으며 베란다 구석구석을 살펴보았다. 화분들 사이를 지나며, 눈에 띄는 꽃을 하나씩 탐내듯 쳐다보았다. 그러다 갑자기 커다란 화분 뒤에서 작은 생명체를 발견했다.

“월! 월!” 희망이가 작은 소리를 내며 짖었다.

그 소리를 듣고 행운이도 관심이 생겼는지 화분 뒤로 조심스럽게 다가갔더니, 작은 새 한 마리가 깃털을 부풀리며 떨고 있는 것을 발견했다.

“어머나, 아빠! 여기 작은 새가 있어요!” 여동생이 희망이와 행운이를 따라 베란다로 나왔다.

아빠도 뒤따라 나와 상황을 살폈다. “어떻게 들어왔을까? 아마도 날다가 창문을 통해 들어온 모양이네. 여기 방충망을 열어놓았구먼”

엄마는 부드러운 목소리로 말했다. “애들아, 잘했어. 이제 우리가 이 작은 새를 도와주자.”

아빠와 여동생은 새를 조심스럽게 손에 올려 창밖으로 날려 보냈다. 그때부터 새콤한 솜사탕은 베란다만 나가면, 엄마가 키운 꽃을 슬쩍 뜯어 먹기 시작했고, 달콤한 솜사탕은 후다닥후다닥하고 거실로 들어왔다.

명절 때는 내셔널지오그래픽이 최고야!

명절 때마다 할머니 댁을 들렀다. 설날 아침은 유난히도 분주했다. 가족들이 모두 모여 떡국도 먹고, 차례도 지냈다. 주인공인 두 솜사탕 희망이와 행운이도 한복을 입고 나타났다. 희망이는 붉은색 한복을, 행운이는 파란색 한복을 입었다.

"희망이, 행운이, 세배하자!" 엄마의 말에 두 강아지는 고개를 갸우뚱했다. 세배가 뭔지 몰라 어리둥절한 표정을 지었지만, 엄마가 고개를 숙이는 시범을 보이자 그제야 따라 하려고 애를 썼다. 희망이는 조금 멀뚱거리더니 그 자리에 앉아버렸고, 행운이는 신이 나서 꼬리를 흔들며 폴짝폴짝 뛰어다녔다.

“우리 희망이와 행운이도 세배를 다 하는구나!” 할머니는 그런 모습을 보며 활짝 웃으셨다. “자, 세뱃돈 받아라.” 할머니는 주머니에서 봉투를 꺼내더니 희망이와 행운이 앞에 놓아주셨다. 희망이는 봉투에 코를 킁킁대며 가까이 다가갔고, 행운이는 봉투를 장난감처럼 여기고 물어뜯으려 했다. “아이고, 이놈들! 그거 물면 안 돼!” 할머니는 깜짝 놀라 봉투를 급히 거두셨다. "올해도 건강하고 복 많이 받아라." 할머니는 덕담을 덧붙이셨다. 엄마는 그 모습을 보고 웃음을 터뜨리며 말했다. "할머니가 주신 세뱃돈은 엄마 주머니로 들어가야지, 이 녀석들아. 그래야 우리 간식도 사 먹고 하지!"

"할머니, 우리 희망이와 행운이 덕분에 올해도 복 많이 받으실 것 같아요!"

할머니는 웃음을 참지 못하며 대답하셨다. "그래, 그래. 잘 키워서 우리 가족 모두 건강하고 행복하게 지내자꾸나."

그리고 넓은 풀밭으로 이루어진 앞마당이 있어서 행운이에게는 천국과도 같은 곳이었다. 풀밭을 마음껏 뛰어다니며 자유를 만끽하는 모습은 그야말로 행복 그 자체였다. 할머니 댁 앞마당은 다양한 꽃들이 피어나고, 나무들이 그림자를 드리우는 평화로운 공간이었다. 이곳에서 자연과 하나가 되어 놀곤 했다.

그런데 할머니 댁에는 또 다른 주인이 있었다. 바로 할머니가 기르는 고양이였다. 행운이는 그 고양이와 한판 붙게 되었다. 고양이는 앞발을 들고 경계했고, 행운이는 꼬리를 흔들며 고양이를 쳐다보았다. 둘의 첫 만남은 긴장감이 흘러넘쳤다. 고양이가 하악거릴때마다, 어쩔 줄 몰라 도망쳤다. 그리고 곧 다시 고양이의 뒤를 쫓아다녔고, 고양이는 높은 창틀로 올라가 솜사탕을 내려다보며 장난을 쳤다. 역시나 희망이는 자신을 사람이라고 생각하는지 별 관심이 없었고, 난방이 도는 거실 바닥에 축 늘어져 뱃가죽을 붙였다.

행운이는 할머니 댁에서 유독 내셔널 지오그래픽 채널에 푹 빠지곤 했다. 고양이에 호기심이 사라졌는지 거실 소파위로 점프해서 올라왔다. 그리고 나는 내셔널 지오그래픽 다큐멘터리를 틀어 주었다. 동물의 세계를 담은 화면 속, 사자와 얼룩말이 초원을 가로지르며 생존을 위한 경주를 펼치는 장면이 나오자, 솜사탕은 한참 동안 화면을 응시했다.

단추처럼 작은 눈을 동그랗게 뜨고, 동물들의 움직임을 쫓았다. 사자가 천천히 다가가고, 얼룩말이 그 모습을 경계하며 도망치는 장면에서는 자신도 긴장한 듯 가만히 쳐다봤다. 마치 '넌 누구니?'라고 묻기라도 하듯, 고개를 갸우뚱거리기도 했다.

새들이 하늘로 날아오르는 장면에서는 혀를 내밀었고, 큰 맹수가 등장할 때면 살짝 뒤로 물러났다가도, 다시 화면 가까이 다가가 집중하는 모습은 흡사 다큐멘터리 속 주인공이 된 듯했다.

이렇게 행운이는 명절마다 내셔널 지오그래픽으로 시간을 보냈다. 그리고 여행 또는 명절 후 집에 도착하면, 이제는 자신의 집이라고 본격적으로 뛰어다니며 집안 곳곳을 헤집어 놓기 시작했다. 침대에 올라가 우다다를 하다가 잠자리에 들기도 하고, 주방에 들어가 냉장고 밑을 뒤지다 장난감을 발견하면 기쁨에 겨워 짖어댔다.

‘역시 강아지에게도 집이 최고다’

우리는 맛이 다른 솜사탕

희망이는 늘 차분하고 어른 강아지 같았다. 그리고 밖에서와 달리 누가 집에 오든 상관없이 꼬리를 흔들며 반갑게 맞이했다. 반면에 행운이는 집 밖에서 만난 사람들에게는 친근하게 다가갔지만, 집에 들어오는 사람에게는 경계를 늦추지 않았다.

대학교 시절, 고등학교 친구가 오래간만에 놀러 왔다. 친구가 집에 들어오자, 희망이가 달려가서 아는 척을 했다.

"희망이는 사람 진짜 좋아하네," 친구가 말했다. "행운이는 왜 이렇게 낯설어해?“

내가 웃으며 대답했다. "둘 다 말티즈인데 성격이 완전 다르지?"

친구는 웃으며 고개를 끄덕였다. "말티즈가 이렇게 다를 줄은 몰랐네.“

행운이는 개구쟁이답게 호기심을 못 이기고, 친구에게 다가와 냄새를 맡고 나서야 조금씩 경계를 풀었다. 친구는 손을 내밀며 행운이를 쓰다듬었고, 그제야 행운이는 꼬리를 살랑살랑 흔들며 친구에게 애교를 부리기 시작했다.

희망이는 아빠를 가장 잘 따랐다. 퇴근 후 집에 들어올 때마다 현관문 비밀번호 누르는 소리가 나면, 꼬리를 흔들며 달려가 반갑게 맞이했다. 더구나, 오랜만에 집에 돌아오는 날에는 더욱 활기차게 뛰어오르며 거실에는 다다다다다 소리밖에 들리지 않았다.

반면, 행운이는 엄마를 가장 잘 따랐다. 엄마가 부엌에서 요리를 하거나 집안일을 할 때마다 행운이는 그 옆을 맴돌며 관심을 받았다. 행운이는 잠시 아빠가 퇴근하면,꼬리를 흔들며 인사했지만, 곧 다시 엄마에게 돌아가서 애교를 부렸다.

저녁이 되면, 두 솜사탕은 각자의 잠자리로 향했다. 희망이는 아빠 옆에서 자는 것을 좋아했다. 아빠가 소파에 앉아 책을 읽거나 TV를 볼 때, 그 옆에서 졸린 눈을 깜빡이며 편안하게 누웠다. 그리고 아빠가 잠자리에 들 때면 희망이도 졸래졸래 따라가서 옆에서 꿈나라로 향했다.

행운이는 엄마 옆에서 자는 것을 좋아했다. 미리 침대 위에 올라가 자리를 잡고 있었다. 엄마가 침대에 누우면 행운이는 그 옆에 꼭 붙어서 따뜻한 온기를 느끼며 잠이 들었다. 그렇게 두 강아지는 다른 사람을 옆에 끼고 평화롭게 잠을 청했다.

그날 밤, 친구는 두 강아지의 귀여운 행동을 보고 미소를 지었다. "너희 집 강아지들은 각자 좋아하는 사람도 다르고, 성격도 완전 다르고, 진짜 특이하네."

뭉치면 더 강력한 새콤달콤 솜사탕

공무원 재직 시절, 연차를 길게 붙여 쓰고, 희망이와 행운이는 우리와 함께 제주도로 특별한 여행을 떠났다. 여수에서 제주도로 가는 배는 크고 넓은 여객선으로, 강아지들이 VIP인 스위트펫룸 객실로 예약했다. 케이지 안에서도 꺼낼 수 있고, 강아지들을 위한 패드, 침대 등 다양한 편의시설을 갖추고 있었다.

행운이는 처음 타보는 배 여행에 살짝 긴장한 듯 보였지만, 희망이는 국내 여행을 곳곳 돌아다닌 선배답게 침착했다.

"운아, 괜찮아. 여기서도 안전해," 엄마가 쓰다듬으며 말했다.

아빠도 고개를 끄덕이며 "그래, 우니. 희망이랑 같이 있으니까 걱정하지 말고 즐기자."라고 덧붙였다.

희망이는 행운이에게 소리 슬쩍 다가와 가볍게 코를 맞대며 위로하는 듯했다. 객실 안에서 잠시 쉰 후, 강아지들과 함께 편의시설 곳곳을 돌아다녔다. 에스컬레이터도 있어서 놀랐고, 카페, 휴게실, 그리고 전망대도 있어 솜사탕들과 함께 시간을 보낼 수 있었다. 특히 전망대에서 바라보는 바다의 풍경은 일품이었다. 탁 트인 바다 풍경을 바라보며 가족은 제주도 여행에 대한 기대감에 부풀었다. 아가들도 시원한 바람을 맞으며 기분 좋게 바다를 바라봤다.

"정말 멋지다! 희망아, 행운아, 우리 제주도에 가면 더 재미있는 일들이 많이 있을 거야," 엄마가 말했다.

여동생도 신나게 "맞아, 제주도에서 뭐 할까? 바다도 보고 맛있는 것도 먹고. "라고 덧붙였다.

배는 약 6시간 동안 항해했고, 우리는 청정한 공기와 아름다운 풍경으로 유명한 제주도에 첫발을 내디뎠다.

렌트한 차로 도착한 곳은 제주도의 한적한 동쪽 끝 마을, 성산 일출봉 근처의 작은 민박집이었다. 민박집 어르신은 반갑게 우리를 맞이해주셨고, 강아지들을 위한 넓은 마당도 있었다.

짐을 풀고 나서, 가족은 민박집 뒤편에 있는 바비큐 시설에서 저녁 준비를 시작했다. 아빠와 나는 바비큐 그릴에 고기를 굽기 시작했고, 엄마는 신선한 해산물과 채소를 준비했다. 두 솜사탕은 새롭고 맑은 냄새 맡기에 전념하며, 이곳저곳을 뛰어다녔다.

해가 지고 어둠이 내려앉을 즈음, 갑자기 저 멀리서 큰 개 한 마리가 나타났다. 그 개는 민박집 근처에서 떠돌던 유기견으로, 낯선 이방인들을 경계하는 듯 으르렁거렸다. 희망이는 빠르게 움직이며 낯선 개 주위를 돌며 주의를 끌었고, 행운이는 단단히 서서 희망이를 보호하는 제스처를 취했다.

"희망아, 행운아, 조심해!" 아빠는 침착하게 말했고, 나는 두 솜사탕들을 안전한 곳으로 데리러 의자에서 일어났다.

그때, 희망이는 빠른 발놀림으로 낯선 개 주위를 맴돌고, 행운이도 언니를 따라 같이 돌기 시작했다. 자칫 위험한 상황으로 이어질 수 있어서 나는 제법 빨리 다가가, 낯선 개에서 아가들을 데려왔다. 그리고 허기진 것 같아서 고기와 물을 주었다.

검정 유기견에 물과 고기를 주면서 생각해보니, 아가들이 공통인 외부의 적이 나타났다고 생각하면, 조그마한 두 솜사탕이 협력을 하려

했던 건지 둘이 의지하는 모습을 보니 괜히 대견하고 기뻤다.

다음 날 아침, 일찍 일어나서 성산 일출봉으로 향했다. 아가들은 산책을 좋아했지만, 이번 등반은 가파른 언덕과 다양한 지형이 많아서 웬만하면 안고 올라갔다. 잠시 내려놓자, 희망이는 호기심 많은 성격답게 앞서 나갔고, 행운이는 조심스레 희망이를 졸래졸래 뒤따라갔다.

"희망아, 천천히 가!" 엄마는 희망이에게 속도를 줄이라고 말했지만, 희망이는 멈추지 않았다. 그러던 중, 갑작스럽게 발을 헛디뎠다. 순간적으로 균형을 잃고 미끄러질 뻔했지만, 바로 뒤따라오던 행운이가 희망이를 빠르게 몸으로 쌩하고 치고 달려나갔다.

"정말 잘했어, 행운아!" 아빠는 칭찬했지만, 엄마는 너무 놀라서 다시 두 솜사탕을 안고 가자고 말했다. 나는 그때도 순간, 이 녀석들이 외딴곳에 오니까 자꾸 서로를 도우려는 건가? 라는 생각이 또 들었다.

일출봉을 내려온 뒤 전통시장으로 발걸음을 옮겼다. 다양한 먹거리와 특산품, 그리고 사람들로 붐벼서 정신이 없었다. 솜사탕들은 시장의 새로운 냄새와 소리에 흥분하며 우리에 안겨 킁킁거리며 여기저기 냄새를 맡았다.

"이곳이 바로 제주도의 전통시장이야," 아빠가 말하며 두 강아지를 안내했다. "여기엔 우리가 좋아할 만한 간식도 많을 거야."

신기하게도 시장 한편에 자리 잡은 노점에서 각종 강아지용 간식이 진열되어 있었다. 말린 고구마, 닭가슴살 저키, 그리고 특별히 제주도 산으로 만든 유기농 강아지 간식들이 눈길을 끌었다.

"이거 봐, 희망이와 행운이에게 딱이겠어," 엄마가 말했다. 희망이와 행운이는 즉시 그쪽으로 다가가 코를 킁킁거리며 냄새를 맡았다.

노점 주인은 웃으며 "이 고구마는 전통 방식으로 말린 거예요. 강아지들이 아주 좋아해요."라고 설명했다.

시장 구경을 마치고 나오는 길에, 작은 카페에 들르기로 했다. 카페 입구에는 강아지 출입이 가능하다는 표시가 붙어있었다. 카페 내부는 시장과 같이 여전히 사람들로 붐볐고, 한쪽 테이블에는 다른 강아지들도 있었다.

“여기서 잠시 쉬었다 가자.” 아빠가 말했다.

그때, 카페 한구석에서 요란한 소리가 났다. 주인이 실수로 접시를 떨어뜨려 깨트린 것이다. 사람들은 놀라서 소리를 질렀고, 강아지들도 짖기 시작했다.

희망이는 긴장된 모습으로 꼬리를 내리며 앉아있었고, 행운이는 그런 희망이 옆에 꼭 붙어서 안심시키려는 듯 옆에 앉았다.

전통시장에서의 하루가 끝난 후, 가족은 제주도의 아름다운 해변을 산책하며 여행을 마무리했다. 희망이와 행운이는 해변가의 모래와 파도 소리에 신이 나서 뛰어다녔다.

“이제 우리도 집으로 돌아갈 시간이네.”

제주도에서 여행은 처음으로 새콤달콤 솜사탕 같은 추억을 우리에게 선사했다.

애견박람회에서의 하루

형형색색 단풍으로 물드는 가을, 희망이와 행운이를 데리고 서울에서 열린 대규모 애견박람회에 방문했다. 이 박람회는 반려견과 함께 즐길 수 있는 다양한 활동과 제품을 소개하는 행사로, 애견인들이라면 한번 가볼 만한 곳이다.

아침 일찍, 입구에서부터 많은 사람이 반려견과 함께 줄을 서 있었다. 박람회장은 광활하고, 곳곳에 설치된 부스들이 반짝이는 제품들과 색색의 장식들로 가득했다.

“와, 여기가 바로 애견박람회구나! 너희들 신나겠지?”

희망이와 행운이는 살랑살랑 꼬리를 흔들며 호기심 어린 눈빛으로 주변을 둘러보았다.

박람회 내부로 들어가자마자, 가장 먼저 애견용품 판매 부스를 구경했다. 다양한 종류의 장난감, 옷, 그리고 간식들이 눈길을 끌었다. 희망이와 행운이는 역시나 간식코너에 관심을 보였다. 우리는 여러 가지 샘플을 받아 두 강아지에게 맛보게 했다.

"이 말린 고구마 간식 정말 맛있나 봐. 희망이가 너무 좋아하네."

다음으로 애견 미용 부스를 방문했다. 이곳에서는 반려견을 위한 미용 서비스와 목욕 제품을 체험해볼 수 있었다. 희망이는 평소 미용을 좋아하지 않았지만, 행운이는 물을 좋아하는 성격 덕에 체험하기로 했다. 그리고 기분이 좋아졌는지 어느새 깔끔해진 모습으로 우리를 보고 활짝 웃었다.

박람회장을 돌아다니던 중, 애견 운동장 부스를 발견했다. 이곳은 반려견들이 자유롭게 뛰어놀 수 있는 공간으로, 다양한 장애물과 놀이기구들이 설치되어 있었다. 우리는 두 솜사탕을 이곳에 풀어줬다. 각자 놀이기구를 탐험하며 놀았다. 희망이는 작은 터널을 지나고, 행운이는 높이 설치된 발판 위를 뛰어다녔다.

그리고 애견박람회의 또 다른 하이라이트인 사진 촬영 부스로 향했다. 이곳에서는 다양한 테마로 꾸며진 배경에서 반려견과 함께 사진을 찍을 수 있었다. 희망이는 귀여운 토끼 옷을 입었고, 행운이는 멋진 해적 복장을 했다. 사진 촬영 후, 애견 훈련 시연을 관람했다. 전문 훈련사가 반려견들과 함께 다양한 훈련 기술을 보여주었고, 희망이와 행운이는 그 모습을 흥미롭게 지켜보았다.

차 안에서 희망이와 행운이는 피곤했는지 각자 방석에서 잠들었다. 나는 두 솜사탕을 보며 가볍게 쓰다듬었다.

"오늘 정말 재미있었지? 나는 너희들이 있어서 더 즐거웠어."

전 세계가 허락한 마약 : 옥시토신

두 마리 천사, 솜사탕들이 대자로 뻗어 누워 있을 때, 나는 가만히 귀를 대고 심장 소리를 들었다. 그들의 박동과 나의 심장 소리가 엇박자였지만, 시간이 지나면서 점점 나와 호흡을 맞추는 것 같았다. 그들의 두근두근 심장을 들을 때마다, 이 세상에서 가장 소중한 생명력을 느낄 수 있었다. 그리고 가슴 털에 얼굴을 비빌 때 나는 꼬순내 마지막으로 검정과 분홍빛이 감도는 말랑말랑 젤리까지.

강아지를 쓰다듬을 때 우리 몸에서는 '옥시토신(oxytocin)'이라는 호르몬이 분비된다. 이 호르몬은 유대감과 애정을 촉진하는 역할을 한다. 강아지와 인간 모두에게 긍정적인 감정을 불러일으키며, 정서적인 안정과 행복을 준다고 한다. 그들과의 교감으로 삶의 많은 부분에서 위안을 얻었다.

비록 완벽하지는 않았지만, 우리는 서로의 존재로 삶의 소중함을 배워가고 있었다. 이 순간들이 하나로 모여, 공주님들과 끈끈한 유대감이 형성되었고, 비로소 함께하는 삶의 의미를 찾아갔다.

2-1 무지개다리 그 언저리에서

희망이가 15살이 되던 해, 몸은 점점 노쇠해져 갔다. 이전처럼 활발하게 뛰어다니지 않고, 산책하러 나가도 금방 지치는 모습을 보였다. 눈빛은 맑았던 눈동자에 막이 생겨, 희뿌옇다. 똥오줌도 패드에 가기 전에 흘리기 일쑤였고, 몸은 서서히 그 빛을 잃어갔다. 병원에 데려가니 노령견으로서 겪을 수 있는 여러 가지 건강 문제들이 발견되었다. 우리는 좋은 음식을 준비하고, 필요한 약을 먹이며, 가능한 한 많은 사랑과 관심을 주었다. 비록 몸은 힘들어 보였지만, 희망이는 나를 바라보며 꼬리를 흔들었다. 그 작은 몸짓 하나하나가 사랑스러웠다. 우리는 솜사탕의 귀에 속삭였다.

"한결같이 예쁘고, 아름다운 공주님이야. 건강 하자 아가"

시간이 흘러 2년이 지나고, 17살이 된 희망이는 점점 더 노쇠해졌다. 어느 날, 나는 회사 회식을 마치고 늦은 밤 집에 돌아왔다. 엄마는 친척 장례식을 가느라, 집에 빨리 들어오라고 문자를 했으나, 그럴 수 있는 상황이 아니었다. 현관문을 열었을 때, 집안은 조용했고, 희망이가 보이지 않았다.

"희망아, 어디 있어?" 나는 조심스레 불렀다. 아무 기척도 없었다. 단지 행운이만 나를 계속 고요히 반겼다. 집안을 둘러보다가 베란다 쪽에서 희미한 소리가 들려왔다. 그곳으로 다가가 보니, 희망이가 베란다 구석진 기둥에 몸을 앞뒤로 부딪혀가며, 빠져나오지 못하고 있었다.

"희망아, 미안해.... 정말 미안해...." 나는 아가를 조심스럽게 안아 들고, 따뜻하게 품에 안았다. 밖에 오래 있었던지라 몸은 차가웠고, 작은 가슴은 빠르게 뛰고 있었다. 나는 그 작은 생명이 얼마나 오랜 시간 동안 고통 속에 있었는지 생각하니 눈물이 멈추지 않았다.나는 희망이를 내 품에 안고 조용히 속삭였다. "희망아, 너무 고마워. 우리 함께한 모든 시간, 잊지 않을게. 네가 얼마나 사랑스러운지, 너도 알지?"

희망이는 내 말을 이해하는 듯, 조용히 내 품에서 숨을 몰아쉬었다. 그리고 천사를 침대에 눕히고 계속 쓰다듬어주니, 곤히 꿈나라로 여행을 떠났다. 그 모습을 지켜보던 행운이는 언니의 마음을 아는지 모르는지 계단으로 침대에 올라와 희망이 옆에 같이 누웠다.

그 후로 희망이는 자꾸 구석진 곳으로 가는 행동을 반복했다. 화장실 구석, 소파 뒤, 베란다의 어둡고 좁은 공간으로 들어가곤 했다. 세상과의 이별을 준비하듯, 외롭게 구석을 찾는 모습은 정말 가슴이 저렸다. 고양이처럼 독립심이 강했던 모습은 사라졌고, 가족이 없으면 안절부절못하며 낑낑거렸다. 그나마 조금이라도 걸을 수 있을 때는 머리를 벽에 부딪히면서 힘겹게 우리를 찾았다. 그리고 옆으로 누워 지내는 시간이 많아지자, 가족의 발걸음 소리가 들릴 때마다 힘없는 꼬리로 바닥을 쓸며 흔들었다. 하루하루 가쁜 숨을 내쉬는 희망이를 지켜보는 행운이는 서글픈 눈으로 조용히 짖었다. 그래도 첫째 공주님의 따뜻한 체온을 느낄 수 있다는 것만으로도 하늘에 감사했다.

문득, '내가 너희에게 좋은 보호자일까?'라고 혼자 생각했다. 지금에서야 많은 것을 배우고 깨달았지만, 익숙함에 속아 소홀히 하지는 않았는지. 너희에게 더 많은 사랑과 보살핌을 줄 수 있었을 텐데....

새콤한 솜사탕이 하늘나라로 가기 전, 아빠는 대구에서 사업을 하느라 한 달 동안 집을 비워야 했다. 희망이는 목숨이 위태로운 상황에서도 가족 중에서 가장 좋아하는 아빠를 기다렸던 것 같다. 그리고 한달 뒤, 아빠가 집으로 돌아왔다.

문을 열고 들어온 아빠는 두 천사, 희망이와 행운이를 불렀다.

"희망아, 행운아! 아빠 왔다!"

힘없이 누워만 있던 아가가 고개를 천천히 들었다. 그리고 다리는 떨리고, 몸은 흔들렸다, 비록 보이지 않고 들리지도 않지만, 온몸으로 아빠를 느끼고 있었다.

행운이는 신나서 주위를 빙글빙글 돌며 반가움을 표현했다. 아빠는 우선 희망이를 조심스럽게 안아 올리며 말했다. "희망아, 많이 보고 싶었어. 집에서 잠깐 쉬다가 대구로 가자." 희망이는 조용히 품에 안겨있었다. 행운이는 아빠의 팔에 얼굴을 비비며 애교를 부렸다.

다음 날, 아빠는 두 솜사탕을 데리고 대구로 떠났다. 차 안에서 희망이는 엄마의 무릎에 앉아 창밖을 바라보며 편안한 시간을 보냈다. 행운이는 뒷좌석에서 신나게 꼬리를 흔들며 창밖을 구경했다. 대구에 도착한 후, 두 천사를 데리고 사업장 인근 아파트로 들어갔다. "희망아, 여기서 아빠와 당분간 지내자." 아빠는 희망이를 조심스럽게 내려놓고, 행운이와 함께 집 안 곳곳을 둘러보며 새로운 환경에 적응하도록 도왔다. 하지만, 다음날 새콤한 솜사탕은 오후 2시에 강아지별로 떠나야만 했다.

우리는 첫째 공주님과의 추억을 간직한 채, 막내와 새로운 추억을 만들며, 슬픔을 이겨내고 있었다. 달콤함은 새콤함과 다른 방식으로 사랑을 주었고, 가족의 일원으로서 우리의 눈물을 닦아주었다.

나도 6개월이 지나, 차츰 일상으로 돌아와 반복되는 회사 생활과 여자친구와의 결혼에 집중했다.

퇴사를 결심한 그즈음, 공기업에 다니던 여자친구와의 마지막 대화가 기억난다. 그날 저녁, 우리는 늘 가던 카페에 앉았다. 그녀는 커피 잔을 손에 쥔 채 한숨을 쉬며 입을 열었다.

"요즘 오빠 많이 힘들어 보여," 그녀가 말했다. "회사 일 때문이야?“

나는 고개를 끄덕였다. "응, 너무 지쳤어. 모든 게 다 무의미하게 느껴져. 삶의 목표가 없어. 퇴사 생각 중이야.“

그녀의 얼굴이 굳어졌다. "그럼 우리는 어떻게 해? 안정적인 직장을 그냥 그만둔다고?. 우리 미래를 위해서 맞는 선택이야?"

"알아," 내가 답했다. "하지만 내가 이렇게 지쳐서는 우리 미래도 없을 것 같아. 너도 알잖아. 우리 관계도 요즘 많이 힘들잖아."

"오빠가 그렇게 느낀다면, 나도 어떻게 해야 할지 모르겠어. 내가 뭘 해도 매일 반복되는 대화도 지겨워. 그리고 오빠 기분도 나아지지 않는 것 같아."

나는 그녀의 손을 잡았다. "너에게 미안해. 정말 미안해. 너를 행복하게 해주지 못해서.", "이렇게 계속 갈 수는 없어. 우리... 여기서 그만하자."

내 마음은 찢어질 듯 아팠지만, 그녀의 말이 맞았다. 서로가 매우 지쳐있었다.

"그래, 오빠 말이 맞아. 우리 여기서 끝내자."

그날 이후, 우리는 각자의 길을 걸었다. 그녀가 떠난 후, 나는 혼자가 되었다는 사실에 더욱더 고통스러웠지만, 동시에 우리 둘을 위해서라도 그 결정이 옳았다는 생각이 들었다.

한편으로는 내가 이별을 고했지만, 그래도 같이 이겨내자며, 옆에 있어 주기를 바랐다. 그날의 대화는 복잡한 감정 속에 참 이중적이고 역설적이었다.

퇴사 후, 아침 7시면 막내와 밖으로 나갔다. 그런데 산책을 무척이나 좋아하던 행운 공주님이 갑자기 걷지 않고 안아달라고 눈빛을 보냈다. 무슨 문제가 생긴 것 같아서 자주 가던 동물병원을 찾았다. 그곳에서 처음 들은 병명은 빈혈이었다. 행운이의 건강이 갑작스럽게 나빠지자, 불안감이 온몸을 휩싸기 시작했다. 첫째 공주님과의 이별의 아픔이 채 가시기도 전에 막내의 휘청거리는 몸은 엄청난 쓰라림이었다. 어린 나이라 건강에 적신호가 찾아올 줄은 꿈에도 몰랐다.... 병원을 다녀온 뒤 집에서 뛰어다니며 건강을 찾았다고 생각했다. 여자들이 겪는 일시적 빈혈이라고 생각했다.

또 다른 그 날의 해는 높이 떠 있었고 구름 한 점 없이 화창했다. 매미들은 벌써 맴맴 울어댔다. 아파트 단지를 나서며 우리는 둘레길을 향해 걷기 시작했다. 아스팔트 길은 아직 뜨겁지는 않았지만, 햇살에 반짝이며 여름이 성큼 다가왔다고 느끼기 충분했다.

행운이는 오늘따라 기운이 없어 보였다. 평소 같으면 발랄하게 뛰어다녔을 텐데, 발걸음이 무거웠다. 나는 무언가 이상함을 느꼈지만, ‘큰 문제는 아니겠지’라고 생각하며, 보도블록 위를 걷고 있었다. 그런데 갑자기 아가가 멈춰 섰다. 그리고 호흡이 빨라지며, 몸은 뒤로 쳐진 채 서 있더니, 눈빛을 보내고 그대로 픽 쓰러졌다.
순간 나는 너무 놀라, "행운아!"라고 외쳤지만, 가늘게 뜬 눈만 나를 쳐다봤다. 어떻게 해야 할지 몰라 심장이 빠르게 뛰었고 머릿속이 하얘졌다. 눈앞의 상황이 믿기지 않았다.
그저 바닥에 힘없이 누워 있는 모습을 보자, 망설일 시간이 없었다. 아가를 조심스럽게 안아 들고, 동네의 작은 동물병원으로 뛰기 시작했다. 아스팔트 길은 여전히 따뜻했지만, 마음은 얼어붙었었다.

"제발 아무 일 없기를...." 속으로 기도했다.

동물병원에 도착하자마자, 수의사에게 다급하게 상황을 설명했다. " 우리 강아지가 갑자기 쓰러졌어요. 제발 도와주세요." 수의사는 행운이를 재빨리 데려가 진찰했다. 나는 그저 옆에서 초조하게 기다렸다. 진료 도중, 어렸을 때부터 행운이 건강을 맡던 수의사가 심각한 표정으로 말했다.
"지금 행운이 상태는 우리 병원에서 치료하기 어렵습니다. 큰 병원으로 당장 가셔야 할 것 같아요. 거기서 더 정밀한 검사를 받아보세요.“

엄마에게 전화로 상황을 알리며, 먼저 큰 병원으로 향했다. 병원에 도착하니, 그곳은 그야말로 넓고 첨단 의료 장비들로 넘쳐났다. 하얀 벽타일이 눈에 띄었고, 많은 방을 지나가면서 입원해 있는 강아지들이 보였다. 수의사들과 간호사들은 바쁘게 움직이며 여러 동물을 돌보고 있었다.

카운터에서 진료 절차를 마치고, 위층으로 올라가자 입구에서 30대 초반의 수의사가 온화한 표정으로 우리를 안내했다.

"행운이 보호자들이시죠? 이쪽으로 오세요.“

진찰실로 들어갔다. 수의사는 행운이 상태를 차분히 살펴본 후, 혈액검사와 엑스레이 검사가 필요하다고 말했다. 그리고 몇 분 뒤, 결과서를 보며 작은 동물병원 수의사와 같이 심각한 표정으로 설명하기 시작했다.

"행운이는 지금 적혈구가 매우 부족합니다. 상태가 상당히 안 좋아서 즉시 수혈을 해야 합니다. 수혈하지 않으면 위험할 수 있어요."

이 말을 듣고 우리는 모두 충격에 빠졌다. 엄마가 먼저 입을 열었다.

"수혈은 바로 할 수 있나요?"

수의사는 고개를 끄덕이며 말했다. "네, 수혈은 바로 가능합니다.“

우리는 머뭇거리지 않고 바로 입원 절차를 밟았고, 행운이는 병원 침대에 누워서 준비를 마쳤다. 수혈을 받기 위해 정맥에 주삿바늘이 꽂힐 때, 몸이 덜덜 떨리는 것을 보니 눈물을 참을 수 없었다. 힘겹게 호흡하는 행운이를 보며 마음속으로 간절히 기도했다.

"제발, 꼭 나아져야 해. 넌 할 수 있어, 행운아.“

‘사랑은 이상하게도 더 많이 사랑하는 쪽이, 더 많이 견뎌야 한다. 내가 널 더 많이 사랑해서, 내가 아프고 고통스러워지고 싶다.’

‘하지만, 아무리 생각해도 너희들 사랑이 내 사랑보다 큰 것 같아’

수의사는 계속해서 우리에게 행운이의 상태와 치료 계획을 설명해 줬고, 간호사들은 아가의 상태를 확인했다. 그동안 작은 몸으로 병마와 싸우며 힘든 시간을 보내고 있었다. 우리가 할 수 있는 것은 그저 곁에서 지켜보며 응원하는 것뿐이었다. 이렇게 행운이는 병마와 싸우게 되었고, 우리는 자주 병원을 찾아가 상태를 확인하며 함께 힘든 시간을 보냈다.

1차 퇴원 후, 행운이는 병세가 심해지면서 점점 더 몸을 쓰지 못했다. 작은 몸이 중력을 이기지 못하고 픽 쓰러지는 모습을 보일 때면, 어떻게든 공주님을 편안하게 해줬다. 건강이 점점 악화하면서, 그 아이와의 시간이 얼마 남지 않았음을 느꼈다. 희망이와의 이별을 겪은 뒤라, 이번에도 다시 찾아온 슬픔과 고통을 견뎌내야 한다는 생각에 마음이 무거웠다. 하지만 나는 행운이가 마지막 순간까지도 사랑받고 있다는 것을 느끼게 해주고 싶었기에. 매일 밤 옆에서 잠들며, 조금이라도 편안하게 잠들 수 있도록 기도했다.

(1차 수혈)

(2차 수혈)

2-2 제발 돌아와

새콤한 솜사탕

대구로 갔던 희망이는 어제까지만 해도 건강하고 씩씩했던 모습은 온데간데없이, 조용히 우리 곁을 떠났다. 부모님은 잠시 일이 생겨서 30분간 자리를 비우고 돌아왔을 때, 그들이 마주한 장면은 너무도 슬프고 가슴 아픈 일이었다.

집에 돌아온 아빠와 엄마는 부엌 한구석에서 몸이 차가워지는 희망이를 찾아냈다. 아빠는 희망이에게 다가가 떨리는 손으로 굳어가는 몸을 만지며 말을 걸었다.

"희망아.... 아빠가 왔어. 미안하다, 잠시만 자리를 비운 사이에 이렇게 되다니....“ 아빠의 목소리는 떨렸고, 눈에는 눈물이 가득 차올랐다. 엄마도 옆에서 흐느끼며 희망이의 머리를 쓰다듬었다.

"희망아, 엄마도 여기 있어. 우리 희망이 많이 아팠지? 이제 아프지 말고 편안히 쉬렴....“

엄마는 말끝마다 울음이 터져 나와 제대로 말을 잇지 못했다. 희망이의 차가운 몸을 끌어안고 두 분은 그 자리에서 한참 동안 울음을 멈추지 못했다. 아빠는 희망이의 작은 얼굴을 어루만지며 계속해서 말했다.

"희망아, 그동안 고생 많았어. 너의 모든 순간이 우리에게 큰 기쁨이었어. 고맙다, 정말 고마워....“

엄마도 눈물로 젖은 얼굴을 희망이에게 가까이 대며 속삭였다.
"우리 희망이, 너는 정말 착하고 좋은 아이였어. 이제는 하늘나라에서 맘껏 뛰어놀아. 엄마가 많이 사랑해...."
결국, 천사의 몸은 더는 버티지 못했고 조용히 우리 곁을 떠났다. 강아지별로 향한 그 날, 나는 부모님과 통화하고 말로 다 표현할 수 없는 슬픔에 휩싸였다. 신의 장난인지. 운명인지 알 수는 없었다.

엄마: "너희가 있었으면 좋았을 텐데.... 그날 희망이가 정말 활기차 보였어. 전날만 해도 기운 없이 있던 아이가 마치 건강을 회복한 것처럼 뛰어다니더라."

아빠: "맞아, 밥도 얼마나 잘 먹던지. 정말 5살 때 모습 그대로였어. 밥을 남기는 일 없이 두둑이 먹고 나서는 완전히 회복한 것처럼 보였지."

나: "그래서 그때 동영상을 찍으신 거군요. 그 모습을 보니 우리도 안심했는데.... 이렇게 떠날 줄은 몰랐어요."

동생: "희망이가 마지막으로 우리에게 활기찬 모습을 보여주려고 했을 거예요."

엄마: "사람도 죽기 전날에 영혼이 맑아지고 정신이 번쩍 들어 정상

인처럼 행동하는 때가 있잖니. 희망이도 그랬나 봐. 아니면, 희선이 말대로 마지막으로 건강한 모습을 보여주고 싶었던 걸까.“

아빠: "희망이가 우리를 떠나기 전에 마지막으로 행복한 시간을 보내고 싶었던 것 같아. 그날 얼마나 행복해 보였는지 지금도 눈에 선하다.“

나: "희망이는 집에서 생이 끝나가는 순간에도 고통을 참으며, 아빠가 오기를 기다렸던 것 같아요. 그리고 아빠를 보고 떠났네요.“

동생: "그날 희망이 모습을 생각하면 마음이 아프지만, 동시에 행복했었다는 걸 알기에 조금은 위안이 돼요.“

엄마: "희망이는 우리 가족에게 많은 사랑과 행복을 주었어. 마지막 순간까지도 우리를 생각한 것 같아. 그날의 모습은 영원히 잊지 못할 거야.“

아빠: "그래, 우리 모두 희망이와 함께한 시간을 소중히 간직하자. 그

사랑을 기억하며 앞으로도 살아가야지."

희망이가 떠난 후, 영혼이 하늘로 갔지만, 그의 살가죽은 우리에게 덩그러니 남아 슬픔을 안겨주었다. 대구에서 본래 집으로 돌아온 하얀 몸을 보고 있자니, 정말 이 세상을 떠났다는 현실이 가슴 깊이 와닿았다. 몸은 축 늘어져 있었고, 그 작은 체구가 더 작게 느껴졌다. 생명이 떠난 몸을 보면서도 다시 눈을 뜨고 나를 바라봐 줄 것만 같아 눈물을 흘리며, 감긴 눈을 쳐다봤다.

행운이는 언니가 하늘로 간 것을 아는지 모르는지 자꾸 희망이를 보여달라고 떼썼다. 방석에 누운 희망이의 몸을 슬쩍 보여주자, 행운이는 천천히 다가와 냄새를 맡고, 앞발로 살짝 건드렸다. 그리고 계속 그 주위를 맴돌며 언니를 깨워보려는 듯했다. 그 작은 코로 언니의 몸을 여러 번 확인하고, 왠지 눈물 글썽이는 눈으로 나를 쳐다보는 것 같았다.

털은 여전히 부드러웠지만, 이제 그 온기마저 사라졌다. 행운이는 낑낑거리다가, 지쳐서 언니 옆에 몸을 말아 웅크리고 엎드렸다. 마치 언니를 떠나보내기 싫다는 듯이, 끝까지 곁을 지키고 있었다. 희망이를 처음 데려올 때의 기쁨과 함께했던 수많은 순간이 주마등처럼 스쳐 지나갔다.

그 날 날씨는 우리의 마음을 반영하듯 꿉꿉했다. 희망이의 장례식을 위해 근처 화장터를 주말에 예약하고, 좋아했던 까까와 입던 옷들, 그리고 터그 장난감을 장례식 선반에 놓았다. 수의로 하늘색과 분홍색이 조화된 한복을 입혔다. 마지막 길을 떠나는 아가를 위해 가족 모두가 모여 애도의 시간을 가졌다.

의식이 끝나고, 우리는 화장터로 향했다. 가는 도주은 아무도 말을 하지 않았지만, 수많은 생각이 오갔다. 화장터에 도착하자, 희망이와 작별을 고하기 위해 마지막 인사를 나누었다.

"정말 많이 사랑했었는데, 이렇게 떠나보내야 하다니..." 엄마가 눈물을 닦으며 말했다.

"희망이는 우리에게 많은 행복을 주었어. 그 기억은 영원히 간직될 거야." 아빠가 차분하게 말을 이었다.

"맞아요. 희망이와 함께한 시간이 정말 소중했어요. 그녀가 우리에게 준 사랑은 끝나지 않을 거예요." 동생도 눈물을 글썽이며 덧붙였다.

화장이 끝난 후, 밀봉된 하얀 도자기 유골함을 받았다. 작은 유골함을 손에 들고, 가족 모두가 그 앞에 모여 희망이와 함께했던 순간들을 다시 떠올렸다.

새콤한 솜사탕은 이제 하늘나라에서 평화롭게 쉬고 있을 것이다. 우리는 유골함을 집으로 가져갔고, 집 안방으로 향하는 선반 위에 놓았다. 촛불을 켜고 기도를 올렸다.

"희망아, 네가 우리와 함께했던 시간은 잊지 못할 거야. 너의 따뜻한 마음과 사랑이 지금도 우리 곁에 있는 것처럼 느껴져. 우리의 사랑을 하늘에서도 느낄 수 있기를 바랄게."
그렇게 기도를 마치고 고개를 들었을 때, 언제 왔는지 조용히 옆에 엎드려 있던 막내가 눈에 들어왔다. 언니의 유골함 앞에서 함께 기도하듯 조용히 고개를 숙이고 있는 모습이 참으로 사랑스럽고도 애처로웠다. 하얀 몸은 은은한 촛불 속에서 더욱 따뜻해 보였다. 눈망울에는 언니를 그리워하는 감정이 가득 담겨 있었고, 그 모습을 바라보는 내 마음도 덩달아 먹먹해졌다.

행운이는 희망이가 그리운지 한동안 유골함 곁을 맴돌았다. 어느 날 향기를 맡으려는 듯 유골함 가까이에서 코를 킁킁거렸다. 그러다 어느새 조용히 옆에 엎드려, 평온하게 잠에 빠져들었다. 막내를 쓰다듬자, 따뜻한 체온이 느껴지니 여전히 모두 함께 있는 듯했다.

새콤한 솜사탕과의 이별은 너무나 어려웠다. 항상 내 곁에 있을 것만 같았던 그 아이가 이제는 내 곁에 없다는 사실을 받아들이기 힘들었다. 당분간, 달콤함이 새콤함의 빈자리를 채우며 새로운 추억을 만들어갔지만, 희망이와 함께했던 시간을 잊지 않기 위해 같이 찍었던 사진들, 작은 발자국이 남아 있는 산책길, 그리고 물건들까지 모두 소중히 간직했다.

이별은 언제나 쉽지 않다. 그 안에는 복잡한 감정이 마구 얽히고설

켜 있다. 그리고 그 과정에서 용기와 성숙함을 배운다.

다시 일상 속으로 돌아왔다. 반복되는 출퇴근, 그리고 연애.

공무원 생활이 나와 너무 맞지 않았고, 희망이의 빈자리로 싱숭생숭해서 여자친구와 헤어지기 전에 해운대를 여행 간 적이 있다. 밤바다는 어둠 속에서 모래사장의 가로등 아래 출렁거렸다. 그때 "총맞은 것처럼"이 해변으로 들렸다. "총맞은 것처럼~ 가슴이 너무 아파~ 구멍난 가슴에~" 가사 한 구절 한 구절이 마치 내 마음을 대변하는 듯했다.

희망이의 빈자리가 너무도 크게 느껴졌다. 출근과 퇴근의 반복, 그리고 연애에서도 어딘가 허전했다. 희망이와 함께한 시간들이 떠오를 때마다 가슴이 먹먹해졌다. 여자친구와 함께하는 이 순간에도, 내 머릿속에는 해운대의 파도 소리와 함께 희망이의 울부짖음이 겹쳐 들렸다.

가족 여행으로 많은 인파 속에서도 파도가 하얀 발을 적실 때마다 피하려고 깡충깡충 뛰던 아가 때 모습이 생생했다. 그 작은 발이 물에 젖을 때마다 깜짝 놀라던 얼굴, 그리고 금세 다시 웃으며 뛰어다니던 그 순간들. 이제는 그리운 추억으로만 남아 있다. 우리는 아무 말 없이 걸었지만. 스르륵 여자친구가 조용히 내 손을 꼭 잡아주었다. 백지영의 노래가 계속해서 흘러나오는 동안, 그리고 노래가 끝나도, 내 가슴속의 그리움은 파도처럼 내 마음을 적셨다.

달콤한 솜사탕

마침내, 7년간의 공무원 생활에 종지부를 찍었다. 그리고 아카데미 사업을 시작하면서 너무나도 어린 둘째가 무지개 다리로 향하고 있을 줄은 까맣게 몰랐다. 행운이는 석혈구 감소 병이라는 진단으로 입원했다. 나는 바쁜 일상 속에서도 병원을 찾아가 면회할 때마다, 가슴이 아려왔다.

병원에 들어서자마자 행운이는 병실 좁디좁은 투병 벽 안에서 큰 깔때기를 목에 두르고 힘없이 엎드려 있었다. 그 케이지 속에서 너무 오래 있었는지, 눈빛은 답답함과 불안으로 가득 차 있었다. 그러나 우리와 눈을 마주치는 순간, 그 아픈 모습에도 불구하고 행운이는 우리를 알아보고 바로 일어서서 투명 벽을 낑 소리와 함께 박박 긁었다. 그 모습은 한편으로는 반갑지만, 동시에 서글펐다.

막내 공주님은 움직일 때마다 깔때기가 벽에 부딪히는 소리가 들렸다. 병원에서 문을 열어주자, 우리에게 안기며 손을 핥고 반겼다. 눈에는 눈물이 그렁그렁 맺혀 있었고, 힘겹게도 꼬리를 흔들며 반응하는 모습이 어찌나 안쓰러웠던지.

"행운아, 괜찮아질 거야. 조금만 더 힘내자"라고 위로했지만, 그를 지켜보는 우리 마음은 무거워졌다. 더 울부짖고 낑낑대며, 집에 가자고 애원하는 듯한 목소리로 마음을 아프게 했다.

지금 생각해보면, 행운이가 병실에서 보내는 시간이 길어질수록, 아가가 얼마나 힘들었는지를 실감할 수 있다. 수의사 선생님과 마주 앉았다. 진찰실 안은 조용했고 하얀 가운을 두른 선생님의 표정도 차분했다.

"수치는 정상보다 조금 밑돌지만, 일단 귀가하고 추후를 지켜보시는 게 좋을 것 같네요."

"네. 행운이가 너무 오랫동안 입원해서, 답답할 것 같아요. 제가 봐도 일단 집으로 데려가는 게 좋을 것 같습니다."

"두 번이나 수혈받았지만, 완벽히 호전되지는 않았습니다. 혹시 2차 감염이 된다면, 비상사태니 꼭 연락 주세요."

"네. 알겠습니다."

퇴원 절차를 밟던 중, 병원의 투명한 창문 너머로 푸른 가로수가 바람에 살짝 휘청였고, 품에 안긴 아이는 그 모습을 간절히 바라봤다.

우리는 여름 햇살이 내리쬐는 10분 거리를 걸었다. 가로수 그늘에서는 한낮의 열기를 피할 수 있었지만, 여전히 무더운 날씨 탓에 이마에는 구슬땀이 맺혔다. 막내를 안은 채 집으로 향하는 길, 아이의 털 뒤에 핑크빛 얇은 살갗이 뜨거운 열기에 달궈져 있었다.

1차 수혈 후 바로 2차 수혈을 받아야 했던 터라 아이의 건강이 걱정되었다. 그래도 다행인 것은 너무 오랫동안 좁은 투명 벽으로 둘러싸인 공간에 있어서인지, 더운 날임에도 바람과 햇살을 제대로 만끽하려 코를 킁킁거리며 숨을 들이쉬었다.

집에 도착하자마자, 기운이 좀 나는지 본인이 쓰던 방석과 집안 곳곳을 후비며 돌아다녔다. 그리고 그 날은 평온히 꿈나라로 향했다. 다음 날, 산책을 갈구하는 눈빛에 우리는 미리 준비한 유모차에 막내 천사를 태웠다. 7살이라는 어린 나이에 더는 제 발로 걸을 수 없게 되자, 입원해 있는 동안, 강아지 유모차를 마련해야 했다. 작고 귀여운 유모차에 아가를 앉히고 아파트 둘레길을 천천히 걸었다. 유모차에 앉은 행운이는 호기심 어린 눈으로 주변을 둘러보았다. 햇살이 내리쬐는 길가의 꽃들, 바람에 나부끼는 가로수 잎사귀들이 그의 시선을 사로잡았다. 병원에 갇혀 있던 시간과는 달리 이제 자유로이 바깥세상을 만끽할 수 있게 되자, 환히 웃었다. 가끔 유모차에서 내려 잔디밭에 앉히면, 비록 걸음은 불편해졌지만 그 작은 몸짓 하나에도 생명력이 다시 솟아났다. 그런 모습을 지켜보며 막내가 회복할 수 있다는 희망을 걸었다.

수목원에서는 유모차를 밀며 나무 그늘을 천천히 거닐었다. 행운이는 새소리와 나뭇잎 사이로 스미는 바람 소리가 좋은지 아직도 환하게 웃고 있었다.

그렇게 2주 동안 우리는 행운이와 함께 바깥 공기를 마시며 자유로운 시간을 보냈다. 하지만, 호전되던 행운이의 상태가 다시 점점 더 나빠져만 갔다. 움직임이 느려졌고 식욕마저 잃어갔다. 아이가 좋아하던 음식들을 내어놓고 먹이려 해도 입을 벌리지 않았다. 물과 까까도 먹지 않는 날이 잦아졌다.

아기 천사의 몸은 점점 야위어서 갔고, 또다시 병원으로 가야 했다.

결국, 3차 수혈까지 받게 되었지만 별다른 효과가 없었다. 오히려 수혈 후 2차 감염이 생겨 생명이 위태로웠다. 병원 복도를 걸으며 병실에서 들리는 행운이의 울음소리를 들었다. 낑낑대는 듯한 애처로운 울음이었다. 마치 도와달라고 외치는 것 같았다.

"끼이잉 낑낑.."

병실 안에서는 행운이가 힘겹게 숨을 몰아쉬며 신음했다. 간호사가 주사기로 수액을 공급하자 행운이는 다리를 꼬고 울부짖었다.

"낑~~낑낑..."

그 비명 같은 울음소리가 내 가슴을 후벼팠다. 아프지 않게 해주고 싶었지만 어찌해야 할지 몰랐다.

병원비 또한 무시할 수 없는 수준이었다. 수혈 한 번에 1, 2백은 기본이었다. 하지만 그보다 화가 난 건 결국 잘못된 진단과 처방 때문이었다. 여동생이 서울대 병원 의사라 당시 자료를 확인해본 결과, 행운이의 병명이 잘못 진단되었다는 것을 알게 되었다. 혈액 병이라며 수혈을 했지만, 그것이 오히려 2차 감염을 불렀고, 생명을 앗아갔다. 수의사의 과실이 분명하다고 생각되어 민사소송을 고민해봐야 할 지경이었다.

세상을 모르겠다는 생각이 들었다. 이 모든 게 인간들 탓이라는 생각에 사람들이 더욱 미웠다. 나 또한 인간이지만 주먹을 불끈 쥘 수밖에 없었다.

슬픔은 어김없이 찾아왔다. 3차 수혈 후 집으로 돌아온 그 날, 행운이는 정확히 4시간 후 자정이 되자, 앓는 소리와 함께 몸을 가누지 못했다. 이리저리 걷다가 철퍼덕 그리고 바닥에 배를 붙이자 빨간 액체가 모든 구멍에서 쏟아졌다.

바닥에 피가 흥건히 고였다. 입에서도, 코에서도, 심지어 항문에서도 검붉은 피가 계속 흘러나왔다. 급히 수의사에게 전화를 걸었지만, 이미 상태는 호전되기가 너무 어려웠다. 물을 마시도록 곁에 두었지만, 아가는 거부했다. 코에 물을 묻혀도 소용없었다. 어두운 커튼 밑으로 그리고 현관 바닥으로 기어가는 아기의 모습에 가슴이 터질 듯이 미어졌다.

결국, 행운이를 부드러운 방석 위에 눕혔다. 불을 끄니 어두운 방 안에서 거친 숨소리만이 들릴 뿐이었다. 낮게 신음하며 몸부림치자 나는 손을 살며시 잡아주었다. 온몸이 뒤틀리고 경련이 시작되자 눈물이 흘러내렸다. 더는 아픔을 느끼지 않길 바라며, 행운이의 마지막을 지켜봐야 했다. 아가는 힘없이 눈동자만 굴리며, 엄마와 나를 번갈아 바라봤다. 그리고 고통스러워하면서도 우리 눈을 끝까지 쳐다보고 있었다.

"괜찮아, 괜찮아. 푹 쉬자 아가."

조심스럽게 그의 이마와 머리를 쓰다듬으며 말했다. 그러자 행운이는 천천히 고개를 끄덕였다. 마치 엄마의 말을 이해한 것처럼 보였다. 곧바로 행운이는 엄마의 품에 안겨 조용히 눈을 감았다.

고개는 힘없이 중력에 의해 아래로 처졌고, 심장 소리가 들리지 않았다. 뒤이어 온몸이 차가워지고 천천히 굳어갔다. 그래도 더는 고통스러워하지 않는 고요한 표정이었다. 그렇게 막내는 새벽 1시에 우리 곁을 떠났다. 아직도 그의 거친 숨소리가 귓가에 맴돌았다. 울부짖고 싶었지만, 목소리가 나오지 않았다. 오직 침묵 속에서 흐느낌만이 터져 나왔다. 엄마도 함께 눈물을 흘리며 아직 온기가 남은 아가의 손을 잡았다. 그리고 마지막으로 달콤한 솜사탕을 눈물과 콧물 그리고 온수로 씻어줬다.

막내 천사는 우리에게 너무나 큰 사랑을 주었다. 병원에서 힘겹게 치료를 받았음에도 젖먹던 힘까지 내며, 우리와 눈을 마주쳤던 모습은 잊을 수 없다. 그 눈빛에는 가족을 향한 사랑이 담겨 있었다.

영혼은 떠났지만, 화장터에 가기 전에 집에서 조금 더 쉬라고 편한 방석에 눕혔다. 그리고 3일 동안 사랑한다는 말을 계속해줬다. 다음 날 아침, 여름에서 가을로 넘어가는 어중간한 계절의 바람이 불어왔다. 아빠가 운전하는 차 안에서 나는 행운이의 흰 털과 분홍빛 배 그리고 발바닥 젤리를 보며 머리를 쓰다듬었다. 창밖으로는 단풍이 물들어가는 풍경이 스쳐 지나갔다. 그 대비되는 색감이 너무나도 슬펐다.

근처에 마련된 화장터로 향했다. 장례를 치르기 위해 행운이가 좋아했던 까까와 평소 입었던 옷들을 준비했다. 그리고 마지막으로 고운 흰색 한복을 수의로 입고 있는 행운이의 굳은 몸을 만지며 아빠가 속삭였다.

"내 막내딸아, 이제 편히 쉬어라. 너무 고생했구나."

아빠의 목소리는 떨렸다.

화장터에 도착하자, 엄마는 계속해서 흐느꼈고, 여동생도 눈가가 붉어져 있었다. 우리는 행운이의 관을 둘러싸고 서서 작별을 고했다.

"이제 편히 쉬어요, 우리 공주님."

엄마의 목소리도 떨렸다. 우리는 하나둘 관에 마지막 인사를 전했다. 그리고 관은 천천히 화장로에 들어갔다. 불길이 타오르며 아가의 육체가 사라져갔다.

화장터에 서 있는 나는 또다시 이곳을 찾게 되어 슬펐다. 고작 2년 전, 17년 동안 함께했던 첫째 공주님을 보내야 했던 그 장소였다. 이번에는 행운이를 보내고 난 후, 나는 세상을 더욱 미워하게 되었다. 의사의 과실로 인해 가족을 잃었다는 사실이 너무나 분통이 터졌다. 행운이의 화장이 끝나고 도자기 유골함을 들고 집으로 향했다. 차 안으로 햇볕이 따스하게 비치며, 하얀 향기가 코끝을 스쳤다. 어쩌면 행운이의 영혼이 냄새로 나에게 속삭이는 느낌이 들었다.

그리고 분노와 원망, 슬픔이 뒤섞여 세상은 불공평하다는 생각이 들었다. 운명 같은 건 없었고, 단지 사람들의 실수와 무능함이 비극을 만들어낸 것뿐이라며 내 머릿속을 헤집어놨다.

우리는 거실에 모여 앉았다. 아빠는 무거운 한숨을 내쉬며 말을 꺼냈다.

"이제 그만하자. 행운이도 고통받지 않길 원했을 거야."

엄마는 눈물을 닦으며 고개를 끄덕였다. "맞아. 희망이를 위해서라도 이 일을 끌고 가는 건 옳지 않아."

나는 울컥하는 마음을 참으며 조용히 말했다. "하지만, 그 수의사의 잘못은 분명해. 이렇게 넘어가면 다른 반려동물도 피해를 볼 수 있어."

아빠는 조용히 나를 바라보며 말했다. "우리의 마음을 충분히 이해하지만, 복수심에 사로잡히지 말자. 막내 공주님을 더는 아프게 하고 싶지 않아."

동생도 나지막한 목소리로 동의했다. "그래, 우리가 힘든 건 알지만, 공주님의 소중한 기억을 상처로 남기고 싶지 않아.“

그 순간, 나는 가족의 결정을 받아들이기로 했다. 막내의 환한 웃음과 사랑을 기억하며, 그날 밤, 나는 막내 사진을 바라보며 조용히 말했다. "너를 위해서라도 더 강해질게. 너의 사랑을 잊지 않을게."

집 안 곳곳에 남아 있는 막내의 흔적들을 보며 그리움에 사로잡혔다. 이제는 거실로 들어서, 안방으로 향하는 길목에는 아이들의 추억이 담긴 액자와 좋아했던 향기가 나는 촛불이 켜져 있다. 액자 안에는 두 천사와 함께 찍었던 사진들이 들어있다. 그 옆에는 두 개의 작은 유골함이 놓여 있었다.

나는 유골함 앞에 앉아 클래식 음악을 틀었다. 행운이가 좋아했던 캐논 변주곡이 울려 퍼졌다. "뚜둥 뚜둥 뚜둥 뚜둥 뚜둥 뚜둥 뚜둥 뚜둥"

피아노의 경쾌한 리듬이 공간을 가득 채웠다. "띵 띵 띵 띵 띵 띵 띵 띵"

현악기의 부드러운 선율이 이어졌다. 두 손을 모으고 고개를 숙였다. 눈물이 주르륵 흘러내렸다. 행운이의 영혼이 하늘 높이 날아오르길 바랐다.
유골함에서 은은한 향기가 코끝을 스쳤다. 그 향기는 고유의 꼬순내가, 그리고 함께했던 소중한 추억들이 묻어 있었다.

"애기들의 꼬순내가 섞여 있네요. 마치 여기에 함께 있는 것만 같아요."

엄마가 아빠에게 말했다. 눈가가 붉어져 있었지만, 입가에 작은 미소가 걸려있었다.

"맞아요. 그 향기가 행운이의 영혼을 대신해서 이 집을 감싸고 있어요. 그리고 애기들의 향기는 우리 가족의 행복했던 시간들이 담겨 있죠."

여동생도 고개를 끄덕이며 말했다. 그리고 액자를 바라보며 애써 웃으며 말했다.

한동안 거실에 가득 퍼진 아가들의 향긋한 향기가 우리의 감각을 사로잡았다. 선과 악, 기쁨과 슬픔이 공존하는 인간의 삶을 반영하듯, 그 향기 또한 다양한 감정을 자극하기에 충분했다. 두 공주님은 나의 삶에서 큰 부분을 차지하고 있었고, 그들이 준 사랑과 행복은 말로 다 표현할 수 없을 만큼 컸기에, 그 시간을 소중히 간직하며 살아가야만 했다. 행운이는 그동안 희망이의 빈자리를 채워주면서도, 그만의 특별한 장난들과 사랑스러운 행동들로 마음을 따뜻하게 해주었다. 새콤한 솜사탕과 다른 방식으로 다가와 다른 모양과 형태로 달콤함을 선사했다.

솜사탕들을 떠올리며 창가에 앉았다. 무지개가 떠오르는 하늘을 바라보며 다시금 추억에 잠겼다. 가슴 털에서 뿜어져 나오는 고소한 냄새가 아직도 코끝을 맴돌았다. 그 향긋한 꼬순내는 내 코의 행복이었고, 펼쳐진 무지개는 그들의 존재를 나타내는 눈의 행복이었다.

'솜사탕처럼 부드러운 구름 위를 뛰어다니며 행복하게 지낼 거야.'

꼬순내는 후각적 기억으로, 무지개는 시각적 기억으로, 솜사탕의 새콤달콤함은 미각적 기억으로 내 안에 한결같이 살아 있다. 결코, 솜사탕은 녹지 않는다. 그들이 남긴 향기와 사랑은 내 가슴 속에 영원히 남아 있다.

(겨울철, 뜨거운 장판 위에서 이불을 좋아했던 꼬질이들)

제3화 끈적해진 솜사탕

우리 가족은 아기들이 떠난 뒤 힘든 시간을 보냈지만, 점차 일상으로 돌아갔다.

나는 아카데미 사업과 탄소 배출권 중계사업에 뛰어들었고, 그 과정에서 한 번의 실패도 있었지만, 포기하지 않고 계속해서 앞으로 나아가는 중이다. 그리고 시간이 남을 때면, 공주님들을 떠올리며 글을 쓰고 있다. 그들의 모습이 담긴 사진과 영상을 보며 눈물을 흘리기도 하지만, 그들이 남긴 아름다운 추억도 큰 힘이 된다.

그들의 영혼이 머무르는 곳, 강아지별은 어떤 곳일까? 그리고 어디에 있을까?

저기 하늘 높이 아니 우주에 떠 있는 행성, 그곳이 바로 강아지별이다. 푸르스름한 빛이 감도는 그 행성에는 따듯한 기온이 유지되고 있다. 각양각색의 놀이터와 숨바꼭질을 할 수 있는 장소들이 가득하다.

무지개색으로 빛나는 숲, 끝없이 펼쳐진 꽃밭, 그리고 작은 강이 흐르는 곳에서는 강아지들이 자유롭게 뛰어다니며, 물장구를 치고, 다양한 꽃의 향기를 맡으며 행복한 시간을 보낸다.

강아지별의 땅은 부드럽고 탄력 있어, 달리기에 최적이다. 이곳의 나무들은 강아지들이 오를 수 있도록 안전하게 설계되어 있으며, 달콤한 과일들이 열려 있어 언제든지 씹고 뜯고 맛보며 즐길 수 있다. 그곳의 호수는 깨끗하고 맑으며, 강아지들이 수영을 즐길 수 있도록 따뜻한 온도를 유지한다.

하늘은 밤이 되면 더욱 아름답다. 무수히 많은 별이 하늘을 수놓으며, 은하수가 뚜렷하게 보인다. 그 은하수는 강아지들이 쉬고 싶은 마음이 들 때, 포근한 이불처럼 그들을 감싸준다. 또한, 특별한 능력을 지닌 수호천사 강아지들도 존재한다. 이 천사들은 강아지들의 행복을 책임지며, 언제나 그들을 보호한다. 강아지들이 놀고 있을 때, 혹시라도 다칠까 봐 항상 주의를 기울이며, 그들이 필요로 하는 모든 것을 제공한다.

이 행성은 강아지들이 가장 행복한 순간들을 무한히 반복할 수 있도록 만들었다. 그곳에서는 충분한 음식과 물이 준비되어 있어, 배고프거나 목마를 일이 전혀 없다.

강아지별에서는 시간이 무의미하다. 시간은 멈춰있는 듯 흘러가며, 지금 이 순간에 충실할 수 있도록 해준다. 강아지들은 끝없이 뛰어놀 수 있는 에너지를 가졌다. 갑자기 아가들이 좋아했던 클래식 음악이 끊임없이 울려 퍼진다. 모차르트의 피아노 협주곡과 베토벤의 심포니가 선율을 이루며, 그 멜로디에 맞춰 강아지들이 신나게 뛰어다닌다. 혹시 아가들도 함께 뛰어다니고 있을까?

우주에서 조금 내려가 더 자세히 보니, 밥그릇 옆에 솜사탕들이 좋아했던 까까들도 한가득 담겨 있다. 행성에 미리 도착한 강아지들이 공주님들의 영혼을 돌보고 있는 것일지도 모르겠다.

"행운아. 네가 너무나 일찍 떠났다는 것이 너무 안타깝지만, 적어도 그곳에서는 행복할 수 있지?“

첫째 공주님도 처음에는 이곳이 낯설고 어색했지만, 이제는 강아지들과 친구가 되어 즐거워하고 있다. 행성을 맘껏 뛰노는 첫째 공주님의 가볍고도 무거운 하울링이 내 귓가에 닿았다.

나는 강아지별에 본격적으로 한 발자국을 내디뎠다. 익숙한 소리가 들려왔다. 그건 바로 막내의 발소리였다.

"행운아!" 그러자 어디선가 쪼로록 달려왔다. 그토록 보고 싶었던 내 반려견, 막내가 혀를 내밀고 활짝 웃으며 나를 반겼다.

"잘 지냈어? 여기서는 어떻게 지내?" 내가 묻자, 행운이는 꼬리를 흔들며 주위를 맴돌았다. 곧 얼굴을 핥았다. "여기서 새로운 친구들도 많이 사귀고, 좋아하는 클래식 음악도 들으면서 지내고 있어."

"오. 여기서는 말도 할 줄 아는 거야? 대박 사건인데?"
"행운아, 희망 언니가 저기 뛰어다니고 있어. 너무 행복해 보이네.“

희망이는 여전히 독립심이 강했지만, 그곳에서는 모두와 조화롭게 어울렸다. 이리저리 총총 뛰어다니며, 들꽃 사이에서 노닐기도 했다.

행운이도 나에게서 조금 떨어져 꼬리를 흔들며 뛰어다녔다. 아기자기한 꽃밭에서 작은 나비를 쫓기도 하고, 졸졸 흐르는 개울가에서 물장난을 치기도 했다. 물방울이 튀길 때마다 솜사탕의 얼굴은 녹아내리지 않았다. 희망이는 기다렸다는 듯이 행운이를 바라보며 환하게 웃고 있다. 그리고 희망이는 행운이가 강아지별에 도착하자, 예전과 같이 뒤를 따랐다. 오랜만에 만난 두 솜사탕은 넓은 초원 위에서 마음껏 뛰어다녔다.

"행운아, 오늘도 네가 코스를 정하는 거야?" 희망이는 짧게 짖으며 물었다.

"맞아, 언니. 이번엔 더 재미있는 길로 가볼 거야!" 행운이는 당당하게 대답했다.

공원의 입구에 다다르자 달콤이는 방향을 바꿔 잔디밭으로 뛰어들었다. 새콤이는 잠시 망설였지만, 곧 뒤따라 잔디밭을 달리기 시작했다.

"여기선 어떤 냄새가 나지?" 행운이는 흥분된 목소리로 말했다.

"어디 보자.... 음, 이건 토끼 냄새 같은데?" 희망이는 코를 킁킁거리며 대답했다.

워낙 호기심이 많은 행운이는 또 발걸음을 바꿔 작은 연못으로 뛰어갔다. 그리고 발이 미끄러져 연못 근처의 진흙에 빠지고 말았다.

"어머나, 행운아!" 희망이는 웃음을 참지 못하고 말했다. "너 완전 진흙투성이가 됐잖아!"

"하하, 이게 다 모험의 일부지!" 행운이는 아무렇지도 않다는 듯이 대답하며 몸에 묻은 진흙을 털어냈다.

산책로를 따라 나란히 걷던 두 솜사탕은 큰 나무 아래에서 멈췄다.

그들은 나무 주위를 돌며 새로운 냄새를 맡았다. 그곳에는 특별한 비밀이 있었다. 강아지별의 중심에는 '기억의 나무'가 있었는데, 그 나무는 강아지들이 지구에서 사랑받았던 순간들을 간직했다.

"이 나무는 정말 커다랗고 멋지다! 냄새를 맡으니, 엄마, 아빠, 오빠, 언니가 생각나!" 행운이가 감탄하며 말했다.

"응, 나도 자주 와서 그들을 기억해. 그럼, 여기서 잠시 쉬어갈까?" 희망이는 나무 그늘에 앉아 편안히 몸을 뉘었다.

그때, 나무 위에서 작은 다람쥐가 재빠르게 내려왔다. 행운이는 다람쥐를 보고 눈을 반짝이며 말했다, "야, 넌 강아지별에 왜 있니? 같이 놀자!"

"오늘도 덕분에 정말 재밌었어, 행운아." 희망이는 도망치는 다람쥐에 꽂힌 행운이에게 말했다.

"나도 즐거웠어, 언니. 우리 내일도 이렇게 재미있는 산책을 하자!"

행운이는 신나게 꼬리를 좌우로 흔들며 대답했다.

나도 나무에 손을 대자 두 솜사탕과 함께했던 추억들이 떠올랐다. 산책하던 순간들, 함께 했던 놀이 시간, 그리고 그 작은 몸짓 하나하나가 전부 머리를 스쳐 지나갔다.

"여기서 너희들은 행복하구나, 희망, 행운아." 나는 눈물을 흘리며 말했다. 그들은 나를 바라보며 조용히 다가와 내 손과 얼굴에 얼굴을 비볐다.

여동생도 막 도착했다. 그녀는 희망이와 행운이를 보자마자 눈물을 흘리기 시작했다. 그리고 곧 행운이가 손을 내밀어 그녀를 달래주자, 표정이 점차 밝아졌다.

"아가들아, 너무 보고 싶었어."

여동생이 솜사탕들을 부드럽게 끌어안으며 괜스레 고개를 천천히 끄덕인다. 그들은 이 아름다운 행성에서 오랜만에 행복한 시간을 보냈다.

강아지별에서 보낸 시간은 매우 짧았지만, 소중한 순간들이었다. 꿈에서 깨어난 나는 눈물을 흘리며 그 기억을 되새겼다. 그리고 아직 달이 떠오른 새벽 공기를 맞으며 창밖을 향해 신에게 물었다.

"신이여, 왜 강아지 생명은 이렇게 짧은가요? 왜 내가 사랑하는 이들을 이렇게나 빨리 데려가시는 겁니까?"

물을 때마다, 아무런 대답도 돌아오지 않았다. 나는 하늘을 바라보며 속으로 깊은 대화를 이어갔다.

"당신은 이 세상을 창조하신 분이 아닌가요? 그럼 왜 이렇게 많은 슬픔과 이별이 있는 건가요? 사랑하는 이들을 보내고 나면, 그 빈자리는 너무나도 크게 느껴집니다. 행운이와 희망이는 나에게 너무나 소중한 아이들이었어요. 그들이 나에게 준 사랑과 기쁨을 어떻게 돌려줄 수 있을까요? 당신께서 주신 사랑이 왜 이렇게 아픈 이별로 끝나야만 하는 이유를 모르겠습니다."

계속, 신에게 질문했다.

"당신은 모든 것을 알고 계신다고 하셨죠? 그렇다면, 이 이별의 고통도 알고 계신 건가요? 그들이 내 곁을 떠나면서 제가 느낄 슬픔과 허무함을 알고 계신 건가요?“

마음속 깊은 곳에서 느끼는 고통과 슬픔을 털어놓으면서도, 어딘가에서 들려오는 작은 위로를 느꼈다.

"어쩌면, 그들의 생명이 짧았기 때문에 더 소중했던 건 아닐까? 우리가 함께한 시간이 너무나도 귀중했기 때문에, 그 짧은 순간들이 더 빛났던 것은 아닐까?“

언젠가 우리 가족도 그곳에서 다시 만날 수 있기를 간절히 소망했다. 유튜브에서 말티즈 모녀 '봄달래'를 보면, 솜사탕과 우리 가족의 모습이 겹쳐 보인다. 그 모습들을 보며 나는 자주 그들을 추억 한다. 달래의 귀여운 짓거리와 봄이의 사랑스러운 모습을 보면, 희망이와 행운이가 집에서 뛰어다니며 가족들을 웃게 했던 모습이 떠올라 가슴이 아려온다. 엄마인 봄이가 자신의 딸인 달래를 사랑스럽게 돌보는 장면을 보면, 희망이가 행운이를 돌봤던 순간들이 지나간다. 순수하고 장난스러운 행동들이 이 영상 속 모녀의 모습에서 되살아나는 것 같아 행복하기도 하고 그립다.

나는 그렇게 하루하루 조금씩 천천히 내려놓기 시작했다.

3-1 맛이나

희망이를 키우면서 너무나 많은 실수를 했던 것 같다. 지금 와서 돌이켜보면, 키우던 방식이 조금은 옛날 스타일이지 않나 싶다. 요즘 유튜브나 인스타그램을 보면, 강아지들이 정말 행복해 보인다. 각종 반려견을 위한 서비스들이 넘쳐나는 걸 보면 해주지 못해서 미안한 마음이 든다.

희망이는 나중에서야 목줄을 하네스로 바꿨고 다른 강아지들과 어울리며 사회성을 기를 수 있게 해주지 못했지. 그렇다보니 점점 더 내성적으로 변해가는 것 같았어.

또 마룻바닥이 미끄러워서 넘어지는 일도 많았던 것 같아. 시간이 흘러 패드를 깔았지만, 첫째는 처음이라서 너무 늦었어. 그래도 둘째는 많이 도와줬지만, 강아지에 대해 너무 모르고 키운 것 같아. 그게 너무 미안해.

희망아, 나는 한 번도 너를 강아지 펜션에 데려가지 않았다. 산과 강이 있는 넓은 펜션에서 자연을 만끽하며 뛰어노는 강아지들의 모습을 볼 때마다 마음이 아팠다. 너도 그런 좋은 곳에 갔더라면 얼마나 좋았을까 싶다.

요즘 강아지 유치원에서는 강아지들이 사회성을 기르고, 다양한 놀이로 즐겁게 지낸다. 네가 강아지 유치원에 다니며 새로운 친구들을 만나고, 다양한 놀이를 통해 하루를 보내는 모습을 상상만 해도 미안함이 밀려온다. 내가 너에게 그런 기회를 제공하지 못했다는 것이 너무 아프다. 나는 너를 혼자 두고 나갔고, 그 시간 동안 너는 얼마나 외로웠을까.

최근에는 강아지를 위한 다양한 서비스들이 있다. 강아지 스파, 강아지 요가, 심지어는 강아지를 위한 카페까지. 나는 너희에게 그런 서비스를 한 번도 해주지 못했다. 너희가 스파에서 마사지를 받고, 강아지 전용 요가 클래스에서 스트레칭을 하며 편안한 시간을 보내는 모습을 상상하면, 내가 너무나 부족한 보호자였다는 생각이 든다.

희망아, 행운아. 나는 정말 미안해. 너희를 더 잘 돌봐주지 못한 것 같아. 나는 그저 너희와 함께하는 시간이 행복했지만, 너희에게 더 많은 것을 해주지 못한 것이 한이 된다. 이제는 그저 무지개 다리 너머에서 행복하길 바랄 뿐이야.

행운아, 병원에 면회를 더 자주 가지 못해서 정말 미안해. 하루에도 몇 번씩 찾아갈 걸 그랬어. 그랬다면, 사랑을 받고 조금 더 버티며 오래 살 수 있었을 텐데.... 그리고 그 병원은 너무 좁고 답답했던 것 같아. 창밖으로 보이는 하늘조차 답답해 보였어. 네가 그렇게 고통스러워하는데도 불구하고, 우리는 그저 무력하게 지켜보기만 했던 것 같아. 정말 미안해.

하지만 너는 그렇게 아픈데도 꼬리를 살랑살랑 흔들며 우리를 반겼어. 그 순간 내 가슴이 찢어질 것 같았어. 네가 고통 속에서도 우리를 사랑하는 마음을 잃지 않았다는 걸 알았기 때문이야.

'행운아, 이제 고통스럽지 않을 거야.

이제는 편안히 쉬어'.

시간이 나면 종종 유기견 보호소를 간다. 야생에서는 서로가 잡아먹어야 생명이 유지되는 이 세상의 시스템이 왜 그런지 이해하기 어렵다. 강자가 약자를 잡아먹는 그 잔인한 행위를 보면, 신의 섭리가 과연 어떤 것인지 의문이 든다. 만약 이 세상에 에너지 공명이 이루어진다면 얼마나 아름답고 평화로울까. 또 서로를 해치지 않고 조화롭게 공존할 수 있다면 얼마나 좋을까. 하지만 그것은 단순한 이상일 뿐, 현실에서는 늘 선과 악, 창조와 파괴가 공존한다. 신의 이중성을 전부 이해할 수는 없다지만 비로소 그 깊이를 조금씩 깨닫는다.

동물은 신의 창조물이자 우리 인간의 소중한 가족이다. 그들이 보여주는 사랑과 충성심은 인간관계에서 찾기 어려운 순수함이다. 유기견들의 아픔은 인간의 무책임함에서 비롯된 슬픈 현실이다. 이들은 한때 누군가의 소중한 가족이었지만, 다양한 이유로 버려지며 고통 속에 살아간다. 유기견 보호소에서 하루하루를 보내는 강아지들을 보면, 그들이 겪는 슬픔과 외로움이 얼마나 큰지 알 수 있다. 이들은 차가운 우리 속에서 하루하루를 견디며, 다시는 돌아오지 않을 사랑을 기다린다.

"얘들아, 소시지 빵이야! 어서 와~ 같이 먹자!"

강아지들이 기쁜 듯이 달려와 내 주변을 맴돌고 있다. 그들의 복슬복슬한 털과 신나게 흔들리는 꼬리를 보니 저절로 웃음이 난다.
하지만, 내 양팔에는 줄이 걸려있지 않다. 익숙했던 그 무게감과 움지임이 느껴지지 않아 허전하다.

솜사탕들, 정말 미안해. 너희가 산책을 얼마나 좋아했는지 알면서도, 바쁘다는 핑계로 너희를 충분히 데리고 나가지 못했어. 출근길에, 그리고 집에 돌아와서 지친 몸을 뉘며, 너희와 함께 걸었던 그 길들을 떠올리곤 해. 너희는 항상 기대에 찬 눈빛으로 나를 쳐다보며 산책을 기다렸는데, 나는 그 기대를 다 채워주지 못했어.

희망, 행운아, 산책 중 너희의 발걸음 소리와 작은 것들에 신기해하며 이리저리 뛰어다니던 모습이 그립다. 그때 나는 왜 더 많이 너희와 함께 걷지 못했을까? 너희가 신나게 달리고, 여기저기 냄새를 맡으며 행복해하는 모습을 왜 더 자주 보지 못했을까?

너희 눈동자 속에 비친 세상은 얼마나 아름다웠을까? 일상에 쫓기다 보니, 너희가 느끼는 작은 행복들을 놓쳤던 것 같아. 미안해, 아가들. 산책할 때마다 팽팽하게 줄을 당기던 그 느낌이 그리워. 지금이라도 돌아갈 수 있다면, 너희와 더 많은 시간을 보내고 싶어. 아침 일찍 일어나 동네를 걸으며, 너희가 좋아하는 공원에서 함께 뛰어놀고 싶어.

강아지들이 여전히 발을 동동 구르며 내 앞을 맴돌고 있지만, 내 팔은 여전히 텅 비어있다. 곧이어 내 다리에 코와 몸을 비벼대며 관심을 끌어내려 하지만, 그럴 때마다 가슴이 아련해진다. 두 솜사탕이 그렇게 했던 것처럼 하니 말이다. 그들의 사랑은 나의 입가에 새콤함과 달콤함을 남겼다. 그 맛은 솜사탕처럼 기억 속에 녹아들었다.

3-2 향기나

사랑이 무엇인지 아직도 잘 모르겠어. 그 단어의 의미를 정확히 알지는 못하지만, 두 공주님이 나에게 주었던 것들은 분명 사랑이라고 느껴져.

"사랑은 인내하며, 사랑은 온유하며, 사랑은 시기하지 아니하며, 자랑하지 아니하며, 교만하지 아니하며...."

이런 성경 구절들을 보면, 사랑이란 단어가 무엇을 의미하는지 조금씩 이해가 되고 있어. 솜사탕들이 보여준 모습들이 바로 이런 것들이었다고 생각해.

너희들은 우리가 실수해도 언제나 인내심 있게 기다려주었고, 온화한 눈빛으로 바라봐 주었어.

아직도 그 생일 파티 때의 기억이 생생해. 우리 가족 모두가 함께 모여서 고깔모자를 쓰고 축제 분위기를 내며 사랑한다고 외쳤던 그 순간이 너무나 행복했었어.

너희들도 기쁜 듯이 고깔모자를 쓰고 앞뒤로 뛰어다니며 즐거워했지. 그 모습을 보면서 내 마음도 절로 환해졌어. 우리 가족 모두가 하나가 되어 사랑을 나누는 그 순간이 정말 소중했어.

서로를 바라보며 큰 소리로 "사랑해!" 하고 외쳤던 그 장면이 지금도 생생해. 행운이와 희망이도 기쁨에 넘쳐 꼬리를 흔들며 우리와 함께 소리를 내질렀던 모습이 눈에 선해. 너희들의 순수한 사랑이 우리 가족 모두를 하나로 묶어주었던 것 같아.

이제야 비로소 사랑이란 단어가 무엇을 의미하는지 조금씩 깨닫게 되는 것 같아. 그리고 그 사랑을 나에게 선물해준 두 천사, 새콤달콤 솜사탕에게 말하고 싶어.

"내가 너희를 사랑한다. 너희가 보여준 그 사랑이 내 마음을 움직였어.“

영원할 것 같았던 사랑이었지만, 결국 이별이 찾아왔구나.

아가야, 너를 정말 많이 사랑했어. 너의 순수한 눈빛, 귀여운 행동, 그리고 끝없는 사랑과 충성심을 보면서, 내가 받은 사랑의 깊이를 알 수 있었어. 이 팔에 안겨있던 네 따듯한 몸을 생각하면 지금도 가슴이 뭉클해. 네가 내 품에 안겨 평화롭게 잠들던 그 순간들도 너무나 행복했어.

네 귀를 살살 만지면 언제나 꼬리를 살랑이며 기쁨을 표현했지.

네 코끝을 간지럽혀주면 콧김을 내뿜으며 즐거워하던 너의 모습이 생각나. 그때마다 내 마음도 함께 기쁨에 젖었지.

희망아, 너는 언제나 나의 곁에 머물며 나를 믿어줬어. 네가 내 무릎에 올라앉아 있을 때 느꼈던 따뜻함, 그 부드러운 털을 쓰다듬으며 느꼈던 평온함, 그것이 바로 사랑이었어. "사랑은 거저 주는 것이 아니라 함께 하는 것"이라는 말처럼, 너와 함께하는 모든 순간이 나에게는 사랑이었다.

행운아, 너는 언제나 나에게 희망과 용기를 주었어. 네가 밝은 눈망울과 흔들리는 꼬리로 나를 향해 달려올 때마다, 내 마음은 기쁨으로 가득 찼어. "사랑은 상대방의 행복을 자신의 행복으로 여기는 것"이라는 말처럼, 너의 작은 행복이 나에게는 큰 행복이었다.
사랑은 때로는 눈물로, 때로는 웃음으로 표현되는 것 같아. "사랑은 단순히 기쁨을 나누는 것이 아니라, 슬픔도 함께 나누는 것"이라는 말을 너희와 함께하며 깨달았어. 네가 아플 때, 내가 느꼈던 그 고통과 눈물, 그것 또한 사랑이었단다.

사랑이란 무엇일까? 너희와 함께한 시간은 그 답에 한 발짝 더 다가가게 해준 것 같아.

"사랑은 모든 것을 이해하고, 모든 것을 포용하는 것"이라는 말처럼, 너희가 나에게 준 사랑은 이해와 포용 그 자체였어. 너희가 나를 바라보던 그 눈빛, 내 손길을 느끼던 그 순간들이 나에게는 가장 큰 선물이었어.

희망아, 행운아. 너희가 내게 준 사랑을 잊지 않을 거야. 비록 우리가 지금은 떨어져 있지만, "사랑은 공간을 초월하는 것"이라는 말처럼, 언젠가 다시 만날 그날을 기다리며, 계속해서 사랑할 거야.

'아가들아, 내가 너를 정말 사랑했다는 걸 알아줘.'

반려동물은 우리에게 '추억의 냄새'를 남기고 떠난다. 이 냄새는 함께했던 기쁨과 행복이 담겨 있다. 시간이 흐르고 슬픔이 가라앉으면, 우리는 그 가슴 털의 따스함에 얼굴을 비빌 수는 없지만, 유골함을 만지며, 강하게 올라오는 꼬순내로 함께했던 날들을 추억할 수 있다. 그리고 언젠가, 다시 그들과 함께할 날을 바라며, 떠난 강아지들에게 기도한다.

'솜사탕은 녹지 않는다.'

솜사탕은 사랑이다. 부드럽고 가벼운 그 질감, 하늘거리는 모습, 그리고 손에 닿을 때의 섬세함은 사랑의 감정을 떠올리게 한다. 솜사탕을 먹을 때마다 느껴지는 그 달콤함은 사랑이 우리에게 주는 기쁨과 다르지 않다. 하트 모양으로도 만들 수 있는 자유자재로 변하는 솜사탕은 특별하다. 솜사탕의 부드러움과 달콤함이 우리에게 전해주는 그 감각은 사랑이 우리 마음에 스며드는 것과 같다.

솜사탕을 한 입 한 입 떼어먹으며 우리는 그 사랑을 하나하나 음미한다. 마치 우리가 서로의 사랑을 조금씩 나누어가며 그 소중함을 느끼는 것처럼. 그러나 가끔은, 우리가 너무 빨리 그 달콤함을 삼켜버리진 않았는지, 사랑의 순간들을 충분히 음미하지 못한 건 아닌지 돌아보게 된다. 솜사탕을 다 먹고 나면, 남는 것은 손에 남은 달콤한 잔향뿐이다.

사랑도 이와 다르지 않다. 우리가 모든 사랑을 다 떼어먹은 후에도, 그 사랑의 잔향은 여전히 우리 마음속에 각인된다. 그 사랑은 결코, 녹지 않으며, 영원히 머무를 것이다.

3-3 영원히

행운이와 희망이, 정말 고마워. 학창시절부터 지금까지 언제나 내 곁에서 함께해줘서 정말 감사해.

행운아, 너는 내 삶에 있어 언제나 밝은 빛과 같은 존재였어. "고마움은 마음속 깊이 스며드는 사랑의 표현"이라는 말처럼, 나는 너에게 한없이 고마워. 네가 내게 준 조건 없는 사랑은 내 삶을 풍요롭게 해줬어. "고마움은 행복의 열쇠"라는 말처럼, 너와 함께한 시간은 내게 큰 행복이었어.

희망아, 너는 언제나 나를 응원해줬어.

"고마움은 사랑을 표현하는 최고의 방법"이라는 말처럼, 너에게 고마운 마음을 표현할 방법이 너무나도 많아. 네가 내 곁에 있을 때마다 느꼈던 그 안정감과 평온함은 내 삶을 더욱 의미 있게 만들어줬어.

"고마움은 우리가 사랑하는 사람들과의 관계를 더 깊게 만들어 준다"라는 말처럼, 너와의 관계는 나에게 언제나 특별했어.

"고마움은 작은 것에서부터 시작된다"라는 말처럼, 너희와 함께한 작은 순간들 하나하나가 모두 소중했어. 너희의 따뜻한 눈빛과 부드러운 터치는 나에게 큰 위로가 되었어.

"고마움은 우리의 영혼을 치유해준다"라는 말처럼, 너희는 나에게 큰 치유의 존재였어.

그리고 인간들에게 상처받고 힘들 때마다, 너희들이 항상 나를 따뜻하게 감싸주었어.

때로는 여자친구, 학업, 사회생활 등으로 너희에 소홀했지만, 너희들은 그런 내 모습도 이해하고 무한한 사랑을 주었어. 내 삶에서 가장 힘들었던 순간을 돌아볼 때마다, 너의 존재가 얼마나 큰 힘이 되었는지 새삼 깨닫게 돼. 공무원 퇴사를 결심하고, 여자친구와의 파혼이라는 이중고를 겪던 그 시기에도 항상 내 곁에 있어 주었지.

난 그때 참 힘들었어. 그리고 그런 말을 할 때면, 친구나 동료들 심지어 여자친구까지 나를 매정하게 외면했어. 그들은 그저 귀찮다고 피하고, 나를 떠나버렸지.

특히 그날, 퇴사 결심을 굳히고 집에 돌아왔을 때, 너는 내가 문을 열기도 전에 이미 문 앞에서 기다리고 있었지. 너의 따뜻한 몸을 안는 순간, 내 가슴 속의 무거운 돌덩이가 조금은 가벼워지는 것 같았어. 거실에 들어서자마자 눈물이 쏟아졌고, 그 눈물 속에 모든 절망과 외로움이 서렸었지. 소파에 주저앉아 머리를 감싸고 있을 때, 다시 조용히 내 옆으로 다가왔지.

그리고 나를 빤히 바라보더니, 천천히 다가와 손등을 부드럽게 핥았고. 그 작은 혀가 내 손을 스치는 순간, 그동안 참고 있던 눈물이 왈칵 쏟아졌지.

마치 "괜찮아, 나는 여기 있어"라고 말하는 것 같았거든. 그리고 한동안 말없이도 내가 얼마나 힘든지 알고 있는 것처럼, 곁에서 묵묵히 함께 해줬지.

얼마 후, 또 다른 날 여자친구와 나는 파혼했지. 그때 집으로 돌아왔을 때도 마찬가지였어. 너는 나를 보자마자 반갑게 뛰어오르며, 그 작은 몸으로 나를 위로해줬지.

조건 없는 사랑과 헌신이 얼마나 큰 위로가 되었는지 모를 거야. 그 시기에 너희가 없었다면, 나는 정말로 무너졌을지도 몰라.

솜사탕들아. 비록 형태는 변하더라도 그 끈적 기림과 새콤달콤함은 손과 마음에 남아, 영원히 우리를 연결해 줄 거야.

이별로 진정한 사랑의 의미를 깨닫는다. 공허함 속에서 충만함을 느꼈다. 그 사랑의 본질이 내 안에서도 활짝 꽃 피었다. 그 사랑이 없었다면 나는 지금의 나일 수 없다. 이기적이었던 나에서 벗어나, 그들이 보여준 것처럼 더욱 순수한 사랑을 실천해야 한다. 그리고 그 사랑이 세상 모든 생명체에게 전해질 수 있도록.

<솜사탕은 결코, 녹지 않았다>

인간과 달리, 동물들은 서로의 다름을 인정하고 이해하며 살아간다. 오직 순수한 사랑과 충성심으로 우리를 대했다. 안타깝게도 흔히 누군가를 비하할 때 '개보다 못한 것들'이라는 표현을 쓴다. 그러나 정작 무한한 사랑과 충성을 다하는 개들에 비해, 인간은 얼마나 많은 결함을 지녔는지 모르겠다. 앞과 뒤가 다르며, 배신을 일삼고, 이기적이며 치졸하기 그지없다.

'암탉이 울면 집안이 망한다'라는 속담도 '여자 말을 들으면 잘 때 떡이라도 나온다'라는 말로 바뀌었다. 우리는 저 말도 다시 한번 생각해 볼 필요가 있다.

대한민국은 아직도 갈 길이 멀었다. 하물며 버림받은 유기동물들은 넘쳐나고, 일부 수의사들과 돈벌이에만 급급한 애완동물 업체들은 동물을 상품으로 취급하며, 이득을 취하기에 바쁘다. 그리고 몇몇은 약한 동물들을 착취하고 학대하는 것을 서슴지 않는다.

아무리 자기밖에 모르는 인간이라도, 자연의 섭리 아래에 있는 존재들이다. 사회가 진정 발전하려면, 약자에 대한 보호와 배려가 필요하다. 그것이 바로 서로를 존중하고 이해하는 길이다.

글을 쓰는 이 순간조차, 부드러운 털과 온기를 느끼는 듯했다.

사랑하는 나의 솜사탕들

말티즈 희망이는 새콤한 솜사탕, 행운이는 달콤한 솜사탕. 새콤달콤한 솜사탕은 녹지 않는다.

새콤달콤한 향기는 나를 어린 시절 추억으로 이끌었다. 그들을 생각할 때마다 그 특별한 향기를 다시금 느낀다.

새콤달콤함으로 나는 행복했다. 그들의 따뜻한 애정과 순수함은 마음을 달콤하게 채워주었다. 그들의 작은 혀가 얼굴을 핥을 때마다, 그 사랑을 맛볼 수 있었다.

솜사탕의 부드러움은 그들의 따뜻한 체온과 털이 손끝에 남아 있어, 그리움을 자아낸다.

형형색색 솜사탕은 눈을 즐겁게 했다. 까만 콩 3개를 뒤덮은 하얀 털과 분홍빛이 감도는 배 그리고 발바닥 젤리는 보는 이에게 치명적인 귀여움을 선물했다.

바스락거리는 솜사탕이 귓가에 속삭였다. 그들의 발걸음 소리는 일상 속에서 작은 축복을 선사했다.

솜사탕은 입안에서 금세 녹아 사라지지만, 그 새콤달콤한 기억은 꾸준히 기억된다. 마찬가지로, 그들의 사랑과 추억은 마음속에서 녹지 않는다. 그들은 나의 감각 속에 여전히 살아 춤춘다.

집 앞을 천천히 산책하다 보면, 수많은 반려견을 마주친다. 그들의 순수한 눈빛과 행복한 모습을 보면, 저절로 미소가 흘러나온다.

오늘은 청소년 봉사활동을 하러, 옛집으로 내려가는 길이었다. 이사를 했지만, 가끔 이곳을 찾아와 그들의 흔적을 느끼곤 한다. 벽지에 배어있는 그들의 냄새, 아가 때 물어뜯어 벗겨진 모서리, 그리고 텅 비어있는 아가들 침대까지....

이 방에서 느껴지는 그들의 숨결이 나를 어루만져준다. 이곳에 남겨진 흔적들만으로도 감사하다.

반려견을 키운다는 것은 많은 책임이 따르지만, 얻는 기쁨과 사랑은 그 무엇과도 바꿀 수 없이 소중했다. 그리고 반려견을 키우는 독자들에게도 감사하는 마음을 전한다. 그들의 사랑은 여러분의 가정과 삶을 더욱 풍요롭게 만들 테고, 우리는 그 사랑을 기억하며 살아간다. 강아지뿐만 아니라 모든 반려동물은 우리에게 변함없는 사랑의 가치를 일깨워준다.

만약 신이 있다면, 물질주의와 이기심 그리고 인본주의에 빠진 이 세상에 그들을 선물로 보냈는지도 모르겠다. 그들을 만난 것은 삭막한 나의 삶에 가장 큰 희망이자 행운이었다. 언젠가 그들의 별에 올라간다면, 다시 한번 그 사랑의 순간들을 나누고 싶다.

솜사탕은 녹지 않았다.

내 눈물과 콧물이 범벅되어 흘러내려도 아직 녹지 않았다.

솜사탕은 결코, 녹지 않았다.